강정희 / 김대선

김민송 / 김정희

김현주 / 송정희

신혜수 / 이영미

전근아 / 정세헌

조은자 / 진윤혜

이 책은 <2024년 제주평생학습관 시민교육강좌>에서 진행한
[매체활용 책 출간 작가되기] 프로그램에서 출간한 공저입니다.

봄 꽃 처 럼

봄꽃처럼

발   행 | 2024년 05월 08일
저   자 | 12인의 꽃망울
펴낸이 | 한건희
펴낸곳 | 주식회사 부크크
출판사등록 | 2014.07.15.(제2014-16호)
주   소 | 서울특별시 금천구 가산디지털1로 119 SK트윈타워 A동 305호
전   화 | 1670-8316
이메일 | info@bookk.co.kr

ISBN | 979-11-410-8405-9

봄꽃처럼

12인의 꽃망울 지음

CONTENT

유난히도 일찍 찾아온 봄날, 우리는 사라봉 인근 제주
평생학습관에서 만났다. 움츠리고 있어 찌뿌둥한 몸,
느린 동작들과 달리 밝은 벚꽃 꽃망울들이 하나, 둘 터
져 나오기 시작했다. 덕분에 수강생들이 기지개를 켜고
뚜벅뚜벅 걸으며 삼삼오오 몰려들었다. 항상 그렇듯 첫
만남은 봄기운만큼이나 설렌다.

첫날이어서인지 많은 사람이 참석하였다. 호기심으로
마주하고 있는 수강생들을 바라보다 보니 이번 출간하
게 될 책 제목이 연상되었다. 봄꽃처럼! 그랬다. 내 앞
에 앉아 있는 눈망울들은 3월의 봄꽃처럼 피어나기 위
해 꿈틀거리고 있었다.

작년에 이어 진행하는 <매체 활용 책 출간하기> 프로
그램은 글을 쓰고, 쓴 원고들을 모아 한 권의 책으로
출간하는 프로젝트이다.

모두가 처음에는 가능할까? 라는 의구심을 품지만, 마

지막 차시 자신의 글들이 실린 한 권의 책을 마주할 때면 뿌듯함을 보인다. 물론 외부 유통이 이루어지며 많은 독자와 만날 예정이다.

이번 출간은 12명의 공저로 이루어졌다. 차시마다 하나의 초고가 태어났으며, 서랍 속 넣어 두었던 자기만의 이야기들이 세상 밖으로 나오는 소중한 기회가 될 것이다. 겨울 긴 시간 기다리다 세상에 피어난 봄꽃처럼.

작가. 고영희

김정희
책이 좋아 글도 써 보고 싶다는 늦바람이 불어 부족하지만 도전하며 살아보고자 한다.
Spero Spera
"숨 쉬는 한 희망은 있다."

신혜수
20년간 자폐인 아들의 엄마로서 최선을 다했습니다. 이제는 나를 위해, 가족을 위해, 이웃을 위해 더 많이 사랑하고, 더 많이 나누고, 더 많이 성장하는 사람이 되려 합니다. 오늘도 나는 나를 응원합니다.

조은자
제주도를 사랑하는 남편과 살고 있는 사십춘기 엄마 사람. 제주 이주 도민 9년 차, 사춘기 두 아이를 키우고 있습니다. 40대 초반 나를 찾기 위한 여정 중입니다.

김대선
MBTI가 ESTJ인 좀 더 이성적인 50대 중년의 여성입니다. 2년 전부터 하던 일을 그만두고 20대 딸과 지내며 또 다른 육아일기를 쓰는 중입니다. 오늘은 또 어떤 재밌는 하루를 보낼까?

진윤혜
44세에 늦둥이를 낳고 경단녀의 늪에서 허덕이다 협동조합을 만들었습니다. 이제는 글로써 변화하는 나를 관찰하며 엄마를 기록하는 사람으로 살기 위해 2024년 책을 쓰고 있습니다.

김민송
대전에서 태어났지만, 제주도에서 살고 있는 20대입니다. 낯선 곳에서 엄마와 같이 배우고 알아가는 중입니다.

정세헌
남들보다 보고 배우며 경험한 것들이 적은 20대 남자사람입니다. 앎이 부족하지만, 솔직하게 자신을 표현하는 글을 쓰려고 노력하고 있습니다.

송정희
나의 감성과 감정을 서툴지만 담담하게 글로 표현하려 애쓰는 나를 발견합니다. 꿈도 많았고 하고 싶은 것도 많았지만 부족함과 상실감으로 몸과 마음이 아팠던 내 인생의 한편을 잘 마무리하고지 합니다. 따뜻한 마음의 사람 좋은 사람이 되고자 합니다.

전근아

아이와 꽃을 사랑하고, 숲과 사람에게서 위로를 받는 제주인입니다. 글을 통해 내 안의 아이를 보듬어 주고 싶습니다.

이영미

마디지만 단단하게 자라고 있는 귀여운 아들, 까칠하지만 여린 남편과 함께 제주에 뿌리내리는 중입니다. 아직 이루고 싶은 꿈이 많은 맘입니다.

김현주

사회와 조화되어 나만의 기준이 단단하고 싶은 집순이, 애 셋 맘, 독서가, 예비 러너, 사서입니다.

상상

‖얼음
/김민송

나는 차갑다.
그래서 따뜻한 것을 좋아한다.
따뜻한 차, 따뜻한 커피, 따뜻한 장갑,
따뜻한 이불….

‖나는 달팽이야
/전근아

나는 달팽이야. 느림보 달팽이지. 친구들이 저만큼 달려가는 모습이 부러울 때도 많았지만, 느린 나도 맘에 들어. 한 발짝 한 발짝 내 길을 만들어 가는 게 좋아. 늦게 이룬 게 덜 소중한 것은 아닐 테니 말이야.

난 봄 숲에 살랑이는 찹쌀떡 같은 바람과 노는 것을 좋아해. 그럴 땐 나도 모르게 눈이 풀려 벌러덩 드러눕는데 그 순간이 제일 행복해.

파란 하늘을 올려다보며 바람에 실려 오는 작은 꽃들의 향기를 맡고 있으면 왈칵 눈물이 나기도 해. 왜냐하면 그들이 시린 땅을 뚫고 올라왔을 지난 시간을 나도 알고 있기 때문이지. 상처 없는 영혼이 어디 있으랴. 하는 노랫말처럼 아무리 작아도 고통 없이 피는 꽃은 없는 법이니 말이야. 그러니 숲길에서 작은 꽃을 만나면 잠시 서서 눈인사 정도는 건네주길 바라.

꿈을 안고 안간힘으로 달려가더라도 한 번씩 멈춰서 발아래를 살피는 것도 좋을 거야. 그래야 내가 어디에 있는지, 내 옆에 누가 있는지 알게 될 테니.

또 어쩌다 가는 방향을 바꿔 달리는 것도 나쁘지 않아. 지금껏 걸어온 길보다 더 멋진 길은 너무도 많을 거야. 설령 내가 걸어온 길이 최고라 할지라도 나는 달팽이야. 느림보 달팽이지. 걸음은 느리지만 오늘도 내 삶의 숲을 걷는다네.

▮나는 이 손이 부끄럽지 않아요
/신혜수

미국 동부 어느 조그마한 네일샵, 덩치 큰 한국인이 땀을 삐질삐질 흘리며 흑인의 발을 닦아주고 있다.

한국에서 미국으로 건너온 지 1년여, 미국에서 딸을 낳고 몸조리할 여유도 없이 비싼 렌트비를 벌어야 했던 여자는 네일샵에서 일을 시작했다.

손님들은 열심히 일하는 그녀를 콕 집어 자신을 케어해 주길 원했다. 하지만 영화배우 정윤희를 닮아 곱고 서울말을 쓰는 사장님은 고객에게 손톱을 손질할 기회를 주지 않았다. 손님의 손을 만져야 할 그녀의 손에는 태어날 때부터 사마귀가 니 있었기 때문이었다.

오른손 손등과 새끼손가락에 지도처럼 새겨진 사마귀를 고객들이 보면 불편해한다며 손님 테이블에 앉게 하지 않았다.

동료는 장갑을 끼면 괜찮을 거라며 여자 편을 들어주었다. 하지만 그녀는 자기 손에 있는 문신처럼 생긴 사마귀는 치부가 아니라, 그저 자기 자신의 일부라며 장갑 끼는 것을 거부했다.

身體髮膚 受之父母 (신체발부 수지부모)

부모에게서 받은 몸에 칼 대지 않으며 효를 지키겠다는 그런 거창함도 아니었고 "시키는 대로 인생을 살지 않을 거야."라며 잘난 척하려고 하는 것도 아니었다.

그저 그녀는 왜 별거 아닌 사마귀로 인해 손을 숨겨야 하는지 도무지 이해하지 못할 뿐이었다.

그녀는 묵묵히 일을 했다. 발을 닦으면 어떻고, 손을 만지면 어떤가. 아이들과 가족을 위해 그 일자리는 지켜야 했다.

화창한 어느 날, 곱게 나이 든 어르신 한 분이 가게 안으로 들어오더니 대뜸 그 여자에게 손톱을 내밀었다.

그녀는 어르신의 손톱을 손질하며 자신의 이야기를 풀어놓고 있었다. 어르신은 그녀의 서툰 영어에 귀를 기울여 주고 있었다. 그 모습이 마치 친구처럼 보였다. 그녀는 허리를 구부리고 앉아 발톱을 손질하는 게 아니라 좁아터져 컵 하나 올려놓을 자리 없는 자그마한 테이블에서 어르신과 손을 맞잡고 함박웃음을 짓고 있었다.

손에 있던 사마귀들이 오늘따라 한국의 지도처럼 보였다. 55년간 함께한 그녀의 손 위의 명작, 그 안에 숨은 수많은 이야기가 오늘 밤 그녀의 마음을 토닥여 준다. 애썼네그려.

‖ 새로운 발견
/강정희

휴대전화의 잠금을 해제하는 순간, 화면에 떠오른 배터리 잔량 30%의 숫자는 내 마음속 불안감을 한층 더 부추긴다. 어찌 되었든, 이 작은 전자 기기 하나가 내 일상의 안정과 불안을 좌우한다는 사실에 다소 놀라움을 금치 못한다. 이러한 생각에 잠겨있는 동안, 카메라 앱을 켜고, 왼손을 자세히 바라보게 된다. 찰칵! 소리와 함께 그 순간이 영원으로 기록됨을 느낀다.

손가락을 자세히 들여다보니, 각각의 손가락이 마치 자신만의 이야기가 있는 것처럼 느껴진다. 건강한 혈색을 띠는 손가락들은 각자 독특한 존재감을 발산하고 있다. 오래된 친구를 다시 만난 듯한 친근함과 동시에 새로운 발견의 느낌을 준다.

다섯 손가락은 각기 다른 개성을 드러내며, 세상을 향해 자신감 넘치게 펼쳐져 있다.

손가락 끝에 자리한 손톱들은 작고 단정한 모습이다. 꾸밈없고 자연스러운 상태의 손톱은 오히려 그 자체로 아름다움을 발산한다. 이 작은 세계에서 서로 보완하고 조화를 이룬다. 이 순간, 나는 마치 자연의 일부로 존재하며, 그 속에서 살아가는 듯한 평온함을 느낀다.

내 손이 단순한 신체 일부가 아니라, 생명의 아름다움과 강인함을 상징하는 중요한 부분임을 깨닫는다. 손은 삶의 이야기를 담고 있으며, 세상과 소통하는 중요한 수단임을 알아차린다.

배터리 잔량을 확인할 때의 불안감은 점차 사그라들고, 내 손과 함께 세상을 향해 당당히 걸어갈 준비가 되었음을 느낀다. 또한 일상에서 잊고 있었던 가치들을 다시 한번 새기며, 삶을 긍정적으로 바라보는 힘을 얻는다.

‖ 외면
/김정희

비가 와서 분주한 아침, 출근길을 서두르며 차에 올라 탔다. 문득 핸들 위 그녀가 유독 눈에 들어왔다. 호기 심 반으로 핸드폰 카메라 셔터를 누르고 있었다.

순간 아, 그녀가 이렇게 생겼었구나! 라는 생각이 들었 다. 그동안 참 많이도 무심했었구나! 그녀가 이렇게 가 까이 있었는데, 그녀를 자세히 들여다본 기억이 거의 없었다는 게 살짝 민망하고 당황스러웠다.

그녀의 얼굴은 그렇게 하루에 열댓 번도 사랑과 관심 으로 빤히 들여다보곤 했었지만, 그녀는 관심 밖이었 다.

그녀는 스스로가 예쁘지 않다고 느껴서인지, 당연히 받아들이고 있었는지도 모르겠다. 많은 주름, 그리 곧지 않은 손가락과 못난이 손톱이 관심을 받았을 리 만무하다.

나이가 들수록 그녀의 살은 누렇게 되고, 비쩍 말라버린 잔 나뭇가지 마냥, 생기도 잃어가고 있었다. 누군가의 무관심 속에서.

이제, 그녀를 보듬어 주어야겠다. 그동안 힘들고 외로웠을 그녀에게 누군가가 지켜보고 있다는 것을. 이제는 마냥 내버려 두지 않겠다는 마음을 전하고 싶다. 그녀가 다시 생기를 얻고 윤기 있고 도톰한 손가락이 되어서 행복해졌으면 좋겠다.

오늘은 그녀에게 아주 천천히 진한 크림을 듬뿍 발라주면서 어루만져 줄 것이다. 벌써 그녀와 함께 웃고 있을 저녁을 고대한다.

‖맘에 들지 않는 내 손
/정세헌

휴대전화에 담긴 내 손등에는 어릴 때 다친 흉터가 `남아있었다. 넘어지면서 쓸린 상처다. 손등에는 점이 2개나 있었다. 그렇게 깨끗해 보이지 않는다.

손등을 자세히 보니 너무 뚱뚱해진 거 같다. 이렇게까지 부피가 크진 않았던 것 같은데 손가락이 짧아 보이고 손등이 부푼 풍선 같아 보인다. 살을 좀 빼야겠다는 생각이 머릿속을 떠나질 않는다.

손톱은 잘 정리되지 않았고 털 때문에 얼룩져 보인다. 관절 부분에는 털이 없고 빨갛게 되어 있어 더욱 얼룩져 보인다. 흉터나 점들도 한몫하는 것 같다. 그래서인지 내 손이 마음에 들지 않다.

‖생김새는 다르지만, 가족입니다
/김대선

휴대폰을 만지작거리다 문득 내 손을 찍었다. 사진 속 손을 들여다보니, 마치 우리 형제와 같다.

짧지만 옆에서 빠진 것들을 챙겨주는 맏언니 엄지손가락, 항상 문을 열고 나오느라 힘들어서 작다고 투덜댄다.

우리 집의 큰일들을 결정하고 형제들을 두루 살피는 큰오빠 집게손가락, 항상 든든하다.

맘도 여리고 성격도 급하지만, 눈물이 많은 나랑은 제일 가까운 직은오빠 약손기락.

그리고 새끼손가락 나. 막내라서 사랑도 많이 받고 보살핌도 많이 받아서 행복하다.

다섯 손가락의 가운데 위치한 가운뎃손가락은 엄마다. 우리의 중심이 되어 무슨 일을 하든, 생각만으로도 든든해지는 형제들의 정신적 지주다. 그 어떤 종교보다 더 큰 믿음이 바로 어머니 조의원 여사다.

‖닮은 손 다른 삶
/이영미

엄마는 얼굴이 무척 고우셨다. 70대라는 나이에도 불구하고 희고 맑은 피부에 주름조차 찾아보기 힘들었다. 물론 거기엔 고단한 하루의 끝에도 매일 물을 끓여 세안과 피부관리를 했기 때문이었다.

그러나 휴식과 맞바꾼 그러한 노력에도 불구하고 나이를 짐작하게 하는 것이 있었다. 그것은 굵어질 대로 굵어지고 벌겋게 변해버린 손이다.

엄마는 그 시대의 영화에서 보았던 고난을 두루 겪으셨다. 엄마의 고향은 강원도 두메산골이다. 할머니에겐 사식이 많아 학교에 보내는 일은 힘들었다. 엄마는 학교에 보내주고 딸처럼 돌봐준다는 할머니의 말에 속아

서울로 보내졌다. 그때 엄마의 나이는 겨우 12살 전후였다고 한다.

자식이 많았던 부잣집 사람들 마음은 부자가 아니었던지 학교는커녕 엄마를 식모로 부렸다고 한다. 계단이 많은 곳에 집이 있었다고 하는데 그때만 해도 집에 수도가 없었던 때라 아침이면 물을 길어와야 했다. 그리고 아이들 뒷정리와 놋그릇을 닦다 보면 밤에 잠도 제대로 못 잤다고 했다.

이후 6.25 전쟁을 겪으셨다. 모진 풍파 속에 손발이 얼었다 녹기를 거듭하며 그렇게 된 것이다.

엄마도 요즘 시대를 사셨다면 다부진 손으로 나처럼 하고 싶은 건 다 하며 사셨겠지. 엄마를 닮은 손으로 글을 쓰며 엄마를 추억하고 또 추모하고 싶다.

‖내 손에 담긴 사랑
/진윤혜

내 손에 대해서 나는 할 말이 많다. 내 손은 굉장히 크고 손마디도 두꺼우며 젊을 때는 혈관들이 툭툭 튀어나와 꼭 남자 손 같았다. 손톱도 짧아서 예쁘지 않다. 내 손이 부끄러울 때도 많았었다. 지금도 조금만 거친 일을 맨손으로 하면 손끝이 갈라진다.

결혼하기 전 엄마는 내 손을 보며 늘 말했다.
"일이라도 많이 시켜서 손이 이러면 억울하지도 않지! "
나는 집에서 집안일을 거의 하지 않았다. 뭘 해야 한다는 생각조차 없었다.

그건 순전히 아빠의 영향이었다. 아빠는 내게 집안일을 못 하게 하셨다.
"시집 가면 많이 해야 하는데 집에서라도 하지 마라."

그게 이유였다. 나는 그게 나에 대한 아빠의 사랑임을 잘 안다. 그래서 내 손을 들여다볼 때면 꼭 아빠 생각이 난다.

지금에서야 생각해 보니 우리 엄마도 외할아버지의 사랑을 듬뿍 받은 딸인데 아빠의 그 말을 들은 엄마의 마음은 어땠을까. 엄마 없는 데서 말하지. 그걸 또 엄마 있는 데서 아빠는 다 얘기하셨다.

그렇게 나는 결혼하고 아빠의 예상대로 집안일을 많이 했다. 그래도 고무장갑은 꼭 끼는 편이고 식기세척기도 10년째 사용하고 있으니 예전 엄마들 세대보다는 내 손이 덜 고생했으리라.

오늘은 엄마가 아빠의 말을 듣고 마음이 어땠을지 거기에 마음이 미친다. 아빠 손을 꼭 닮은 내 손을 가만히 들여다보면 늘 내 손을 만지작거리시던 아빠 생각이 나곤 했지만, 이제는 내 손을 보면 아빠가 아니라 엄마가 더 생각이 날 것 같다. 나이가 들어감에 따라 나는 내 몸을 이해하고 하나씩 받아들이는 중이다. 엄마 아빠의 사랑이 담긴 내 손 더 감사하고 감사하다.

‖40 춘기 어른
/조은자

차라리 지독한 사춘기를 보낼 걸 후회된다. 40 춘기를 지나가고 있는 나는 마흔이 넘어 내 인생을 다시 생각해 본다.

주어진 인생을 살아오듯, 나에 대해 모른 채로 살아왔다. 내가 무엇을 좋아하고 잘하는지? 관심 있는 건 무엇인지? 잘 모른다. 나에 대한 자신감도 없다.

나에 대해서 탐색 중이다. 내가 관심 있거나 해보고 싶은 일을 하나씩 차곡차곡 쌓아 경험하는 중이다. 그중 하나가 네일아트다.

이번 달 나의 네일아트는 핑크와 하트가 포인트다. 작

년 12월부터 한 달에 한 번씩 예약해 네일샵에 다녀왔다.

잔주름이 생기고 검버섯이 하나둘씩 생긴 나의 손가락은 마디 마디가 굵다. 보잘것없는 손이지만, 네일아트를 하면 기분 전환이 되고 나를 더 아끼고 사랑해주는 느낌이 든다.

‖위로해 줄게
/송정희

오래간만에 햇살이 포근해서 기분 좋은 아침이다. 이따금 살랑거리는 바람의 유혹을 느껴보려고 커다란 유리 창문을 활짝 열어보았다.

순간 나는 온몸을 감싸는 햇살의 강한 기운에 손으로 얼굴을 가렸다. 손가락 사이를 비집고 들어오는 햇빛, 그리고 슬며시 드리운 그늘에 살짝 실눈이 떠졌다. 그 앞에는 이마와 눈을 마주하고 있는 왼쪽 손이 있다. 시선이 머물렀다. 몇 분이었을까? 아니 몇 초였을까? 손을 보니 묘한 생각이 들었다.

매일 매일 일상을 같이 하며 니의 움직임에 따라 바지런히 움직이느라 쉴 틈이 있었을까 싶은 손.

아, 내 손이 이렇게 생겼구나! 나는 매일 보던 손을 처음인 것처럼 요리조리 살펴보았다. 마르지도 통통하지도 않은 손바닥 옆으로 조금은 넙데데한 듯한 크기. 하얀 살에 빗대어 조금은 흐릿한 색상, 작은 산맥의 줄기인 양 조금 툭 튀어나온 푸른 핏줄.

그러고 보니 내 손이 하얗구나! 손가락 길이는 기네. 그런데 가운데 있는 손가락 끝은 네 번째 손가락과 붙어 있지를 않네. 손톱 부위도 조금은 휘어졌네. 너 혼자 다르다고 슬퍼하지는 않았니? 다른 손으로 너를 어루만져 줄게. 후후 손을 보며 손가락에서 쓰다듬음이라니. 나의 유아다움이 스스로 왜 이리 사랑스러울까? 나는 내 달콤한 고백에 혼자 도취 되어 흐뭇하게 웃던 그때, 엄지손가락이 조금은 슬픈 모양새로 기억하니? 라며 물어 온다.

엄지손가락 마디에는 대각선 모양으로 실선의 흉터가 있다. 그리고 그 실선의 흉터 위로 살이 옴팡 패인 형태로 되어 있다. 엄지손가락은 내가 기억해 주길 바라는 눈치다.

온수가 나오지 않는 집에 살던 어느 추운 겨울날 설거지를 하지 않아 꽁꽁 얼어 버린 그릇의 얼음을 감히

용감스럽게 부엌의 식도로 콩콩거리며 깨려다 칼끝이 엄지손가락 마디에 콕 찍혔지.

그때 병원에 간다는 생각도 못 했고 엄두도 나지 않았어. 사실 그때 나는 사는 게 너무 힘들 때라서 아마도 병원 치료는 사치라고 생각했던 거 같아. 다행히 약국 약사님이 뼈는 안 보여서 다행이라고 하시면서 그래도 병원 가서 꿰매는 것도 좋을 거라 하셨지. 하지만 나는 열심히 약을 바르고 그저 상처가 아물기를 바랐어.

상처가 흉터로 자리 잡으면서 나는 찔리고 피 흘리던 그 순간의 아픔이 희미해져 갔지만, 30년이 흘렀는데도 바람이 쌩하니 부는 겨울이 오면 엄지손가락이 아리고 저려와. 그럴 때마다 나는 그냥 '아프네' 하며 그렇게 세월 속으로 그 상처를 묻어 두었다. 엄지손가락 너도 참 아팠을 텐데. 주인의 무심함이 너를 보지 못했구나! 미안해. 추운 날 너의 손가락을 감싸 온기로 따스하게 해줄게.

어떤 이들은 내 손이 예쁘다고 말해주었는데 나는 내심 좋으면서 아니라고 놀부 같은 심보로 뽀로통하기도 했다. 그리고 눈에 거슬릴 때만 손등에 쓱쓱 크림을 덤벙덤벙 발리주었디. 고마워해 주지도 아껴주지도 보듬어 주지도 않았으니 그동안 얼마나 애가 닳았을까?

이제 사랑해 주세요. 하는 너희들 맘을 알게 해줘서 고마워. 오늘같이 손을 무심히 보게 되는 날이 되면 조물조물 만지며 쳐다보고 또 쳐다봐야겠다. 그리고 주문을 걸어야겠다.

'아휴, 내 손 참 이쁘다. 내 손가락 참 길고 하얗구먼.'

추억

‖과거의 올가미와 미래로의 한 발짝
/정세헌

노란 우산, 사람과의 추억이 담긴 매개체. 내가 처음에 노란 우산을 다시 봤을 때 훔칠 정도로 그 우산에 집착했다. 그만큼 떠나보내기 힘든 추억이었다. 하지만 시간이 지난 후엔 그때를 추억하며 노란 우산을 보내주었다.

더 이상 과거의 기억에 얽매이지 않는다. 그저 하나의 추억, 그리움일 뿐. 더 이상 나를 옭아매지는 않는다. 나이가 들어서일까? 시간이 흘러 추억이 바래져서일까? 그리움은 더 이상 나를 옥죄어 오지 않는다. 그런데도 아직 내 마음속엔 그 사람과의 추억이 남아있다. 아직 그 사람을 떠나보내지는 못했다. 하지만 내 곁에는 충분히 나를 사랑해 주는 사람들이 있다. 그 사람을 그리워하면서도 일어서서 다시 내가 있을 제자리로 돌아간다. 다시 새로운 사람들과 앞으로 나아간다.

이 말처럼 다시 제자리로 돌아갈 수 있으면 얼마나 좋았을까 싶다. '나'와는 다르게 나는 아직도 과거에 머물러 있는 사람 같다. 노란 우산같이 그때의 기억, 그 사람과의 추억이 떠오르는 물건이 있으면 떠나보내지 못한다. 집착하듯 갖고만 있게 된다.

나는 그때를 행복하게 회상하며 웃지 못한다. 그때의 아픔에 초점을 맞춰 씁쓸히 웃거나 때론 울 때도 있다. 결국 제자리로 돌아오지 못하고 계속 뒤로, 과거로 가고 있다. 그리고 과거는 나를 옥죄어 온다.

과거에 머물러 있는 것이 꼭 나쁜 것은 아닐 것이다. 하지만 과거에 얽매이지 않고 앞으로 나아가거나, 다시 제자리로 돌아올 수 있는 사람들을 보면 부럽다. 그들은 때론 과거를 발판 삼아 더 좋은 미래로 나아가기도 하기 때문이다.

나도 그들처럼 과거가 아닌 앞으로 한 발자국 나아가면 어떨까? 지금 내 주변 사람들에게 집중하는 게 어떨까? 하고 생각하곤 한다. 이젠 그 사람과의 기억이, 아픔이 아닌 추억이 되었으면 좋겠다. 그리고 그 아픔에서 벗어나 새로 나아갈 수 있었으면 좋겠다.

‖사랑, 그 이름의 깊이
/신혜수

이제 내 나이도 70을 바라보고 있다. 얼굴엔 세월의 흔적이 보이고 몸은 내 생각처럼 움직여 주지 않는다. 그런데도 나는 이 조그마한 우산 가게를 접을 수가 없었다. 내 귀에 남아있는 아빠의 마지막 음성을 떠나보낼 수가 없었기 때문이었다.

어릴 적 나는 자그마한 언덕을 끼고 있는 시골에 살고 있었다. 엄마는 마당 가운데에서 아빠와 함께 이불 빨래를 하며 온 사방으로 거품을 날리곤 했다. 이불을 빨랫줄에 널어놓고는 우리를 위해 맛있게 익은 노란 옥수수를 내왔었다. 우리 가족은 가난했지만, 행복한 날들을 보내고 있었다.

그 밤의 천둥 번개 같았던 폭탄만 없었다면 우리 엄마는 아직도 내 곁에서 웃고 있었을 것이고 부지런한 아빠는 시내 장터에서 사 온 뜨끈뜨끈한 빵을 반으로 잘라 엄마와 나에게 나눠주고 있을 것이다.

지금 생각하면 그 꿈만 같았던 추억에 목이 멘다. 쫓기듯 이 나라로 망명해 온 지도 벌써 60년이 다 되어간다.

비가 많이도 오던 그날 밤, 서른 밤만 자면 데리러 오겠다며 내 목에 자신의 노란 목도리를 감아주시던 아빠, 그의 뒷모습을 보면서 따라가겠다며 조르지도 못했던 나는 아빠의 그 노란 우산이 햇살같이 우리를 데리고 가주리라는 희망 때문이었다.

30일 밤이 지나도, 100일 밤이 지나도 아빠는 오지 않았다. 비가 오는 날이면 노란 우산을 쓰고 웃으며 나를 데리러 올 아빠를 마중하고 싶어 창문 앞을 떠날 수가 없었다.

어느 날, 아침부터 서러우리만큼 비가 추적추적 내렸다. 보육원 앞으로 차가 멈춰서더니 노란 우산을 쓴 사람이 보인다. 아빠일끼? 어떻게 1층까지 내려왔는지 정신없이 현관을 향해 달렸다.

현관에 꽂힌 노란 우산을 보며 아빠가 다시 쓰고 가버릴까봐 우산을 들고 내방 옷장 깊숙이 숨기고는 아빠를 만나기 위해 다시 아래로 내려갔다.

거실에는 아이들이 북적이고 있었지만, 그곳엔 아빠가 없었다. 낯선 아줌마와 나를 향해 소리치는 화가 난 여자아이가 있었다.

자기의 노란 우산을 내가 가져갔냐며 소리치는데 난 넋이 나간 것처럼 아무 말도 하지 못했다.

보육원 선생님의 손에 이끌려 그들과 함께 내방으로 올라갔다. 그러더니 나에게 묻지도 않고 옷장을 열어버렸다. 아빠가 오면 같이 나갈 때 가져가려고 이것저것 쌓아둔 나의 비밀스러운 물건들이 내 마음처럼 와르르 무너져 내렸다.

아빠는 오지 않는구나! 아빠는 나에게 거짓말을 했구나! 왈칵 쏟아지는 눈물을 주체할 수 없었다. 화난 여자아이의 볼멘소리는 허공으로 사라졌다. 오히려 어른들은 나를 꼭 안아주었다. 설움이 복받쳐 올라 옷이 젖을 만큼 눈물을 쏟아내고 나서야 겨우 얼굴을 들고 나를 위로해 주던 사람들을 올려다볼 수 있었다.

여자아이의 눈도 시뻘겋게 변해 있었다. 이 아이도 나를 위해 울어 주었구나! 여자아이와 그 아이의 엄마는 그 후로 자주 보육원으로 찾아왔다.

내가 27살이 되던 해 라일락 꽃향기가 온 동네를 물들이던 봄날, 그 여자아이와 결혼했다.

조그마한 잡화점을 꾸리며 두 명의 아들도 잘 키웠고 우리는 잘살고 있는 듯했다. 창고 깊숙이 숨겨둔 노란 우산처럼 아빠에 대한 그리움도 마음 깊숙이 사라진 듯했다.

둘째 아들을 장가보내고 아내와 나 둘만이 남은 목조 2층짜리 건물에는 곳곳에 그리움이 베여 가슴속 바람구멍을 만들고 있었다.

아내와 나는 작은집으로 이사했다. 약속이나 한 것처럼 아내와 나는 우산 가게를 열었다. 아빠를 향한 그리움을 세상 밖으로 끌고 나오기로 했다.

어깨 위에 내려앉은 세월의 무게도 아빠를 한 번만 만나고 싶다는 내 마음을 누를 수가 없었다. 매일 캐비닛의 유리를 닦으며 아빠와 함께한 추억들을 떠올렸다.

오늘은 한 꼬맹이가 자꾸 노란 우산을 보여달라고 떼를 쓴다. 꺼내서 보여주니 자기 우산과 바꾸자고 한다. 꼬맹이의 초롱초롱한 눈망울에 마음이 쓰여 그러라고 했다. 꼬맹이는 노란 우산을 받더니 함박웃음을 지으며 90도로 인사를 하고는 가게 문을 열고 밖으로 뛰어나갔다.

꼬맹이를 보고 있었는데 갑자기 아빠의 모습이 보였다. 나를 보육원에 맡기며 서른 밤만 밥 잘 먹고 아이들하고 재미있게 놀고 있으라던 그 아빠의 모습이 창문 너머로 보였다.

이제는 걷는 것조차, 지팡이의 힘을 빌려야 하는 몸을 끌고 아빠의 환영을 쫓아 밖으로 나왔다. 내가 나오는 것을 알아채고 꼭 도망이라도 가는 것처럼 발걸음을 재촉하는 것처럼 보인다. 앞으로 가는 아빠의 뒷모습을 보면서도 목이 메어 부를 수가 없었다. 그저 아빠를 잡으려고 지팡이마저 내팽개치고 걸음을 재촉하는데, 어느 순간 아빠의 모습이 연기처럼 사라졌다.

60년간 쌓였던 아빠에 대한 그리움이 목구멍을 통해 화산처럼 쏟아져 나왔다. '아빠, 아빠, 나를 두고 어디 가는 거예요. 돌아오세요. 제발~' 어깨를 감싸며 아내가 눈물을 닦아 주었다.

꼬맹이의 손에 들린 노란 우산이 저 멀리 사라져간다. 그제야 나는 아빠와 이별할 수 있었다.

'아빠, 안녕. 저는 잘 지내고 있어요. 걱정하지 말고 잘 가요 아빠.'

아내의 손을 잡고 일어서서 본 하늘은 빗방울을 모두 삼켜 배불뚝이가 된 구름 사이로 희미하게 낮달이 떠 있었다.

∥봄을 선물하는 노란 우산
/전근아

Umbrella라는 영상을 보았다. 가난한 아버지와 헤어져 어쩔 수 없이 보육원에서 지내게 된 난민 소년이 아버지를 기다리는 이야기다. 소년은 평생을 헤어지던 날, 아버지가 벗어 목에 둘러준 노란 목도리를 한 채 아버지가 쓰고 떠났던 노란 우산을 기다린다.

영상의 스토리를 따라가다 보면 TV 매체에서 심심찮게 보았던 노란 우산 쓰세요. 라는 광고가 자연스럽게 떠오른다. 봄의 색이라 할 수 있는 노란색은 희망을 의미하기에 세상의 비바람으로 보호해 주는 희망이 되겠다는 뜻으로 광고했을 것이라고 쉽게 생각했었다.

Umbrella 영상을 본 후 노란색의 의미를 되짚어 본다.

노란색은 밝고 화사해서 기분을 상승시키는 색이다. 나는 노란색 하면 먼저 봄꽃이 떠오른다. 개나리, 프리지어, 민들레, 그리고 얼음새꽃.

노란 봄꽃을 보다 보면 유독 추위를 타서 봄이 완연해질 때까지 걸치고 다니는 겨울 외투 같은, 내 안의 남루함을 벗어던지고픈 마음이 생긴다. 그래서 게으른 잠의 시간에서 깨어날 용기를 내게 한다.

내가 연례행사 중 봄맞이로 하는 일이 있다. 2월에 눈 속에서 노란 얼굴로 환히 웃는 얼음새꽃을 만나러 가는 일이다. 얼음새꽃을 보아야 이제 봄이 왔구나. 라는 생각과 결코 거저 오지 않았을 봄의 따스함을 누릴 자격이 생긴다고 스스로 규정해 보는 것이다. 봄을 맞이하는 나만의 예의라고나.

얼음새꽃은 흔히 복수초라 불리는 꽃이다. 복이 온다는 의미를 지녔으나 어감의 불편함을 피해 지은 순우리말 이름이다. 특히 야생화를 좋아하는 사람이나 꽃 사진을 좋아하는 사람들에게 인기가 있다. 아마 긴 겨울의 답답함에 대한 마침표를 찍고 봄소식을 먼저 알려주는 전령이기 때문일 것이다.

눈 속에 해맑게 웃는 얼음새꽃을 보는 일은 이 작은

식물에 감정이입을 하여 고통을 이기고 당당하게 어여쁜 꽃을 피워낸 성취에 편승하고픈 나의 고백서가 아닐까. 한다. 나는 차마 그러지 못하므로 강인한 의지를 닮고 싶다는, 나 대신 견디어 줘서 고맙다는.

또한 얼어붙고 딱딱한 겨울 땅을 뚫고 눈을 녹이기까지 수없이 밀어붙였을 시간을 차마 가늠할 수 없어 쉽게 생명의 신비라고만 퉁치고, 나를 제외한 다른 이의 삶에는 괜찮아 그게 인생이지 뭐람. 하며 가벼이 건너뛰는 소설의 한 페이지로 치부해 버리는 순간에 대한 반성이기도 하다. 내 손톱 밑에 가시만 크게 느껴 타인의 아픔에 외면 하려는 비겁함에 대한.

Umbrella가 되는 일은 대신 비를 막아주는 일이다. 누군가의 비를 막아주는 일은 말장난을 섞어서 표현해 보자면 사실 엄브랑진 일이다. 그야말로 인생을 구원하는 일일 테니. 그래서 쉽게 누군가의 우산이 되겠다고 나서기란 어려운 결정일 거다. 커다란 사랑이 있어야 가능한 일이란 생각이 든다. 설령 피를 나눈 혈육일지라도.

부모가 되면 자녀들이 서로에게 우산이 되어주길 기대한다. 조금이라도 앞서나긴 자녀가 제 형제들에게 부모의 작은 우산을 대신해 주길 은근히 요구해지기도 한다.

하지만 비가 오는 날 사용하고 난 후의 우산을 보면 얼마나 처참한 몰골이던가? 온통 젖어 늘어진 모습과 함께 거친 바람에 우산 쌀 마저 꺾여 다음날엔 쓸 수 있으려나 하는 생각이 들 만큼 상처투성이가 아니던가. 그러니 다른 이의 비를 막아주는 일은 우산 하나로는 어림없는 일일 테고, 누군가에게 우산이 되라는 일은 또 다른 폭력이 되고 마는 것이다. 이래서 함께 사회적 우산을 만들어 가야 한다는 목소리에 동의하게 된다.

그럼에도 우리는 서로에게 우산이 되어야 하지 않을까? 그마저도 없다면 우리는 살아갈 힘을 상실하고 말 테니. Umbrella 영상이 주는 메시지에 대한 나의 대답은 나도 기꺼이 누군가에게 우산을 씌워주는 용기를 잃지 않겠다는 다짐이다.

‖사랑 그 이름이란
/김정희

그날도 추적추적 비가 내리고 있었다. 큰 눈망울을 가진 소년은 2층 창밖 아래로 알록달록 우산 행렬을 내려다보고 있었다. 누군가를 기다리는지 미동도 없이 그렇게 한참을 앉아 있었다.

그때 택시에서 내리는 한 소녀와 아주머니가 소년의 시선 속으로 들어왔다. 노란 우산을 들고 있는 소녀를 보고 작은 가슴이 마구 뛰기 시작하였다.

순간, 소년은 "아버지"라고 자기도 모르게 한마디를 내뱉고 말았다.

그들은 그 소년이 있는 보육원 방문객이었다. 오로지

우산에 시선을 뺏긴 그 소년은 어느 순간 다락방 옷장에 그것을 숨겨 놓았다.

하지만, 우산을 그 소녀에게 돌려줘야 하는 순간이 오고, 소년은 주체할 수 없는 울음에 가슴속 슬픔을 토해냈다. 그 소년의 눈물 속에는 그리운 아버지가 있었다.

소년에게 그 우산은 아버지와 헤어지던 그 시간의 기억과 아버지를 추억할 수 있었던 유일한 그 무엇이었다.

소년의 목에는 노란 우산 대신 그날, 아버지가 둘러주었던 목도리가 아버지를 대신해 주고 있었다.

하지만 아버지가 선택한 것이 아들에 대한 사랑이었을까? 어린 아들을 위해 보육원을 선택해야만 했던 그날 아버지의 마음을 어찌 헤아릴 수 있을까.

정말 아버지 없는 아들이 더 행복했을까? 무엇이 더 중요하다고 말할 수는 없지만 서로에게 힘든 일이다. 어느 한 사람이라도 행복할 수 있다면 그게 최선이었을까? 자꾸 생각의 꼬리를 물게 된다.

불행 중 다행일까? 그 소년은 무난한 삶을 살고 있는

노인이 되었다. 하지만 어떻게 그 사람을 다 헤아릴 수 있을까. 살면서 항상 마음 한구석에는 아버지가 자리하고 있었을 것이다.

그것이 그리움이자 사랑이면서 또한 상처이지 않았을까 하는 생각이 든다.

며칠 전 보았던 영화, "3일의 휴가"가 떠올랐다. 두 모녀의 이야기 속 딸은 엄마를 싫어한 건 아니었지만, 행동은 마음과는 달랐다.

있으면 당연하고 없으면 아쉬운 무언가처럼, 우리는 엄마를 그렇게 대하지 않았나 싶다. 제 발이 저린 격이라고 할까.

엄마가 떠난 후에야 영화 속 딸은 엄마의 음식을 따라 한다. 손이 마음보다 먼저 움직이고 있었다. 엄마를 추억하고, 엄마의 지난 아픔을 따라가면서 그제야 엄마를 향한 가여운 마음과 미안한 마음이 찾아온다. 왜 후회는 밀물처럼 한 번에 오는지.

영화 속 두 모녀의 노란 우산은 만두 속 무를 넣은 만두었다. 나라마다 사람마다 'comfortable food'가 있는 것처럼 우리는 그리워하면 떠오르는 음식처럼 그 무엇을 하나씩 품고 있다. 50줄을 넘긴 이후로는 그것의 향이 더 진하게 느껴지고 더 그리워진다.

소년에게는 그 노란 우산이 '3일의 휴가'의 그 딸에게는 만두가, 나에게는 엄마의 집이 그렇다.

한때는 그 공간에서 그렇게 벗어나고 싶어 발버둥을 쳐댔었다. 그렇게 해서 벗어난 그곳에 지금은 내가 살고 있다. 그렇게 싫었던 그곳이 내가 그리워하던 장소였다.

며칠 후에 비가 온다고 한다. 그날은 꼭 노란 우산을 챙겨 나가보려 한다. 나도 그 노란 우산 속 세상에서 소년이 아버지를 그리워하듯 엄마를 떠 올리면서 2층 카페를 찾아서 가보고 싶다. 넓은 창이 있는 그런 곳이 있었으면 하는 작은 바람으로 비를 기다려 본다.

사랑에 넘침과 부족함이 어디 있으랴. 다 사랑이다.

‖분노도 그리움이다.
/송정희

어린 소년과 그의 아버지는 머나먼 타국으로 힘들게 온 난민이다. 그 부자에게 이곳 타국은 따스함이 가득한 곳이 아니었다. 배고픔과 추위뿐만 아니라 모든 걸 감당하기엔 역부족한 상황이었다.

아버지에게 직업을 찾기란 쉽지 않은 일이었고 아들과의 시간은 점점 궁핍해져만 갔다. 갈 곳 없는 부자는 노숙하며 도움을 구하기도 했지만, 현실은 참혹했다. 아버지는 더 이상 희망이 없음을 알았다. 아들만이라도 굶지 않게 해줘야 했기에 비 오는 어느 저녁 아버지는 아들을 보육원으로 데리고 간다. 그리고 아들의 목에 노란색 목도리를 둘러주며 다시 만날 날의 희망을 아들의 가슴에 품어준 채 노란 우산을 쓰고 유유히 사라져간다.

소년의 보육원 생활은 그리움이다. 소년의 하루는 2층의 커다란 창가에서 시작되었다. 노란 우산을 쓰고 저 멀리 사라졌던 아버지. 다시 나를 찾아올 거라고 속삭여 주었던 아버지를 기다리는 것이다.

비가 내리던 어느 날 소년은 여전히 창밖을 바라보며 아버지를 기다리고 있었다. 작은 차 한 대가 보육원 앞에 조용히 서더니 약간은 심통이 난듯한 작은 소녀와 중년 여인이 내렸다. 소년의 눈에 비친 모습은 소녀가 아닌 노란 우산이다.

노란 우산은 아버지다. 소년은 두근거리는 마음을 안고 소녀의 우산을 장롱 속에 숨겨 놓았지만, 소녀에게 들키자, 마음 깊이 담아져 있던 그리움의 눈물로 얼룩졌다. 소녀는 노란 우산을 소년에게 선물로 주었다. 그 노란 우산의 그리움을 안고 소년은 어른이 되었고 소녀와 가정을 이루었다. 그리고 그 그리움으로 우산 가게를 꾸렸다.

노년이 된 어느 날 우산 가게에 어린 소녀가 우산을 사러 왔다. 긴 긴 세월 간직해 왔던 노란 우산을 그 소녀가 가지고 갔다. 그때 가게 밖으로 비치는 환영, 그

것은 노란 우산을 쓰고 있는 아버지의 모습이었다. 아들은 성치 않은 다리를 지팡이에 의지하며 아버지에게 달려가 보지만 노란 우산과 함께 아버지의 환영은 연기처럼 사라져 버린다. 그의 아내가 다가와 그를 안아준다. 어린 시절 만나 지금 노년이 된 두 사람은 서로를 의지해 일어서서 두 사람의 보금자리인 우산 가게로 들어간다. 여기까지가 내가 본 [umbrella]란 이야기다.

아들이 평생 아버지를 그리워하며 기다리는 희망과 노란 우산을 보며 슬픔에 사무칠 때 그 소녀가 아내가 되고 또 노년을 함께 하기까지 얼마나 사랑하고 애쓰며 다독이고 보듬으며 살았을까? 그의 아내 덕에 충분한 사랑을 받으며 온전한 가정을 꾸미며 살아왔지만, 그 아들이 마음속 깊이 간직하고 기다려 온 아버지의 속삭임의 희망 그리고 노년에 걸쳐 그의 인생에 보였을 노란 우산으로 과연 그는 온전히 행복했을까? 분명 행복했을 거다.

희망에서만 행복이 있다고 생각지는 않는다. 슬픔 안에도 그리움 속에도 분명히 행복은 있다고 생각한다. 그 아들은 그에게 주어진 행복과 사랑을 지키기 위해 노력했을 것이다. 참 애쓰며 살아왔을 아들에게 박수를 쳐 주고 싶다. 그를 가슴 뜨겁게 안아주고 싶다.

그러면서 내 마음에는 아들과 아버지에 대한 관계에 작은 분노가 일어났다. 그저 영화의 잔상을 떠 올리며 해피엔딩으로 맞이하면 좋으련만 아마도 나는 나쁜 생각의 유전자가 있는 사람이기 때문인지도 모르겠다.

이 영화를 보면서 내` 아버지를 떠 올렸다. 나의 아버지는 유약한 사람이었다. 분명 나에게도 아버지와의 행복했던 추억이 있다.

그 추억은 국민학교 전후로 기억된다. 나는 집과 몇 정거장 떨어진 곳에 살았던 친구로 한 동네 살던 엄마의 친구 자식이다.(솔직히 그 친구랑 친했었는지, 기억이 가물가물하고 지금은 얼굴도 희미하다)

그 집에 놀러 갔다. 갈 때는 엄마가 데려다줬을 것이다. 놀다 보니 해는 이미 지고 사방이 컴컴해졌다. 아버지가 데리러 오신단다. 놀 만큼 놀았기에 그 친구의 집에서 한참을 기다렸다. 그 소년처럼 아버지가 온다고 굳게 믿었다. 그 당시 아버지가 나에게 못 올 이유에 대한 의심의 여지는 없었다. 흑백 텔레비전에 얼굴을 푹 들이밀고 있을 즈음 아버지는 친구 집 밖에서 내 이름을 불렀다. 소심하게 아주 작은 소리로.

나는 내 이름을 부르는 아버지의 목소리를 찰떡같이 알아들었다. 하루 종일 놀았던 친구도 맛있는 간식을 챙겨준 친구의 엄마도 뒤로 한 채 어린 송아지가 신나 이리저리 뛰어 어미 소에게 달려가듯 아버지에게 달려 나갔다. 부녀의 상봉은 드라마처럼 애절한 상황을 연출해 내지는 않았지만 나를 데리러 온 아버지에게 반가운 마음만 들었다.

밖으로 나오니 조금은 매서운 바람이 온몸을 감싸던 기억이 난다. 그 시절엔 가로등도 그리 많지 않았고 밝지도 않았던 터라 나는 무서움이 들어 몸을 웅크렸다. 아버지는 조금은 거칠고 투박한 손으로 내 손을 잡고 그 친구 집이 있는 시장 골목을 뚜벅뚜벅 느리게 걸어 나왔다. 조금 걸어 나와 신호등 앞 건널목에 선 아버지는 냉큼 나를 당신의 넓지도 좁지도 않은 등에 업으셨다.

나는 걷지 않아도 되는 것이 좋았다. 편물 기계로 짠 똥색(그때 나의 색상 기억으로)에 투박한 외투의 커다란 지그재그 바둑판 모양이 얼굴에 살짝 배기는 듯했으나 털실의 따뜻함이 좋아서 아버지의 목을 내 팔로 끌어안고 혹시나 엉덩이를 감싸고 있는 아버지의 손이 풀어져 땅바닥으로 떨어지지 않을까 하는 조바심에 아버지의 등짝에 더 작은 몸을 밀착시켰다. 그리고 잠이

들었는지 다음 날 아침 눈을 뜨니 내 집이었다.

아버지와의 추억은 그저 깊이 박힌 단면 하나일 뿐이었다. 어린 시절만 해도 나는 아버지의 무한한 신뢰의 감정이 있었다고 생각하지 않았다. 그저 부모이기에 아버지기에 믿고 따랐고 아침에 나가서 해지는 저녁이면 언제든 볼 수 있는 그런 존재였으리라.

내 어린 시절 우리 삶의 경제력은 성장기였고 다들 먹고 살기가 넉넉지 않은 집들이 많았다. 우리 집 또한 예외는 아니니 말이다. 앞서 말했듯 아버지는 유약했다. 나의 유약. 이 개념은 경제 개념이 없고 그 나이대의 남자로의 건강치 못함과 가장으로서 변변치 못했다는 거다. 아무튼 아버지는 그러했다.

내 기억 속의 아버지는 나를 업던 그 아버지보다는 병원에 입원해 있고 마신 술을 감당치 못해 넘어져 발이 퉁퉁 부어 몇 날 며칠 방 한쪽을 차지하고 누워있었다. 직장 생활도 꾸준히 오래 못해서 이곳저곳으로 이적해 엄마의 속을 참 많이도 애끓게 했다. 그런 남편이 삼남매의 아버지다 보니 오장 육부가 썩어 암이라는 병마가 찾아와 죽음이 올 때까지도 맘 편히 떠날 수 있었을까 싶다.

내 나이 열네 살 고등학교 입학 전이었다. 나는 학업과 살림을 하며 동생들을 돌보아야 했고 엄마만을 의지하며 살아야 했다. 그 당시 아버지의 추억에 대한 기억은 그다지 없다. 나는 그냥 살아야 했으므로 그럼에도 한편으로 나의 유약한 아버지가 삼 남매 곁에 있다는 안도감이 달콤 쌉싸름한 추억이자 기억 너머 현실적인 생명의 줄이었다.

그러던 어느 해 동생들의 학교로 점심시간에 찾아와 국수 한 그릇씩을 사주었단다. 그냥 같이 먹고 싶었다고. 그러고 조금의 시간이 흐른 첫눈이 오는 날 나의 아버지는 나와 어린 동생들을 남겨 두고 떠나갔다. 내 나이 열아홉 살이었다. 나는 유약한 아버지라도 나의 곁에 있길 바라왔다.

나를 세상에 내어놓은 부모의 존재가 그렇게 사라지는 것을 원치 않았다. 그 누구도 부모가 한순간에 사라지는 걸 바라지도 일어나서도 안 되는 일로 생각하며 살아갈 것이다. 나는 무서웠다. 그나마 한쪽 있던 나의 날개 같은 아버지의 부재가 슬펐다.

그리움은 어디론가 사라졌다. 나는 살기에 바빴다. 어린 동생들 또한 슬픔이 뭔지, 그리움이 뭔지 모른듯했다. 한편으론 표현하지 않고 아니 못하지 않았나 싶다.

그저 곁에 있던 아버지가 없구나! 라며 그렇게 살아내 온 거 같다. 슬픔도 덮고 그리움도 덮고 무서움도 덮어 가며 나는 아버지가 사고였다고 그 당시 알고 있었다.

그러던 어느 날 들려온 아버지의 죽음과 관련된 말들 에 나는 경악을 했다. 그저 사고가 났던 그날도 술 한 잔으로 당신의 몸을 못 가누며 차선을 갈팡질팡했던 불운의 사고로 알고 있던 나는 엄마가 부재했던 3년의 그 세월에 스스로 생을 마감한 듯 보인다니. 심히 놀라 고 무섭고 심장의 울림이 내 몸과 밖에서 요동치는 걸 나는 간신히 부여잡았더랬다. 무서웠다.

나는 아버지의 사망 소식을 알았을 때 되려 놀랍도록 덤덤했었다. 오로지 떠오르는 것들은 어린 동생들과 어 찌 살아 나가나 하는 현실적인 생각뿐이었다. 물론 자 그마한 방에 아버지의 향기가 안전히 사라진 것은 아 니었다. 스산한 공기의 무거움에 긴 밤을 꼬박 새운 적 도 있었으니까.

보고 싶은 마음이 왜 없었겠냐마는 나 또한 어린 동생 들 앞에서 무슨 표현을 할 수 있었을까. 그렇게 참으며 지냈는데 설령 그 말이 진실이 아니어도 어찌 그 어린 자식들을 이 세상에 두고 당신의 그리움에, 당신의 서 글픔에 떠나 버릴 수 있단 말인가. 나와 어린 동생들은 먼저 떠난 엄마가 안 그리웠을까. 그저 그나마 나와 동생들 곁에 있는 아버지가 그때의 그 시간만큼은 최고 최상의 버팀목이기에 잊으며 살았던 것은 아니었을까? 하는 생각이 든다. 그렇게 아버지의 부재는 진실의 건너편에 있다.

그 건너편에 다시 꽁꽁 싸매면서 나는 그리움 대신 떠나 버린 아버지에 대해 분노의 테트리스를 쌓아갔다. 왜 우리가 사랑한다는 표현을 못 했어도, 살갑게 애교를 부리지 못했어도 어찌 우리를 이 황망한 세상에 남겨 두고 떠날 생각이 들었을까. 설상 아버지의 생각으로 스스로 목숨을 던진다면 살아남아 버티어야 할 나와 어린 동생들은 생각해 보지는 않았을까. 그래서 나는 밉다. 아버지가 참으로 미웠다. 그 미움이 점점 분노로 내 가슴에 자꾸 달라붙는 세월을 보냈다.

어느덧 아버지가 떠난 지 45주기다. 분노의 최고 꼭짓점은 조금은 수그러진 것 같다. 내 나이 마지막 생의 아버지 나이보다도 더 들었고 아버지의 빈자리가 젊은 청춘의 시절보다는 그리워지기 시작했다. 문득 어린 동생들과 버벅거리며 살았을 때의 시절, 아버지가 있었더라면 나와 어린 동생들의 삶은 바뀌었을까?

어느 날은 내 고약한 감정이 삐죽 나올 때면 분노의

물결이 마구 흘러내리다가 심장의 박동 소리가 점점 내 귀에 안 들릴 즈음엔 보고 싶은 마음에 그리움으로 가슴을 펑펑 내리치기도 한다. 그래도 말 예요. 아버지는 나와 어린 동생들을 버리지 말았어야 했어요. 표현은 안 했어도 우리는 깊이 아주 깊이 사랑을 담고 또 행복을 담을 수 있지 않았을까요. 그렇게 그렇게 긴 세월 서로 보듬으며 잘 살아왔을 테지요. 사고든 스스로 놓아버린 끈이든 그 진실은 이제 내게 중요치 않다. 다만, 나는 매일은 아니더라도 가끔은 내 아버지를 그리워하며 생각한다는 것이 진실이라고 말하고 싶다.

그래서였을까. [umbrella] 영화 속의 소년과 아버지가 나와 내 아버지의 유약함이 겹쳐 보이는 건 너무 아픈, 묻어 두고 싶은 그리움의 생채기였다. 나처럼 분노치 못하는 그 소년의 애절함이 안쓰러웠다. 소년의 아버지는 나의 아버지처럼 자식을 떠날 때 어떤 심정이었을까? 물론 '잘 되리라 잘 살 거야'라는 단순 명료한 해답만을 안고 떠났을까?

그렇게 어른의 생각으로 떠났을 때 분명 소년의 아버지도 나의 아버지도 아팠으리라 그렇게 생각하고 싶다. 그런데 어린 소년과 나와 어린 동생들은 시시각각 장소를 불문하고 아버지를 그리워하고 기다리는 회망 고문을 하며 살아낸 것이다. 물론 나는 저 착하디착한 소년보다 현실적이고 못된 사람이라서 분노의 성냥 질을 하기도 했지만 말이다.

나는 소년의 아버지와 내 아버지를 보게 된다면 물어보고 싶다. 소년이 그립지 않았냐고 안 보고 싶었냐고. 내가 그립지 않았냐고 안 보고 싶었냐고. 그리고 소년의 아버지도 나의 아버지도 미워하지 않으려 노력해 보려 하겠다.

그리고 소년을 만나면 잘 살아왔다고 말해주고 싶다. 그리고 따스하게 안아주고 싶다. 어쩌면 이제부터는 소년의 그리움과 내 그리움은 하나가 될 수도 있을지도 모르겠다. 소년과 나를 위한 추억의 그리움말이다.

▮그리움의 눈물 한 방울
/조은자

얼마나 그립고 보고 싶을까? 한 번이라도 더 안아보고 싶을까? 노란 머플러를 목에 따뜻하게 감아주시고, 노란 우산을 쓰고 떠나가는 아버지의 뒷모습을 한없이 바라본다.

평생을 그리움 속 눈물의 나날을 보냈다.
"보고 싶어요. 아버지!"
이제는 나이가 들어 지팡이에 의지한다. 아버지를 그리워하는 마음은 여전하다.

하지만 내 옆에서 묵묵히 있어 주고 바라보는 그대와 함께 있기에 외롭지 않다.

‖영원한 이별
/이영미

백발이 성성한 노인이 되어서야 아버지를 떠나보내는 소년을 보며 평생 할머니를 그리워했던 나의 어머니가 떠올랐다. 나 또한 그러하겠지. 그것이 때로는 족쇄처럼 느껴질 수도 있겠지만 나에게는 열과 성의를 다해 살아야 하는 원동력이자 방황할 때 길잡이가 되어주는 등대이기도 하다.

소년도 그러했으리라. 처음엔 처한 현실을 부정하고 원망하며 많이 울었을 것이다. 하지만 사랑하는 아버지가 자신을 보면 실망할 것을 걱정해 다시 만날 날을 기다리며 삶을 잘 살아내기 위해 노력했을 것이다.

죽음 앞에 담담할 수 있는 사람이 있을까? 선배가 되

어줄 수 있는 이가 있을까? 있다고 해도 그가 하는 경험담을 우리가 들을 수는 없겠지.

고등학교 시절 사춘기가 왔던 걸로 기억한다. 그 시절 엄마와 단둘이 살았었는데 밤이면 주무시는 엄마 옆에 누워 '이다음에 엄마가 돌아가시면 어떻게 하지? 나는 어떻게 살지?' 그런 생각들로 밤을 채우고 했었다. 아무리 고민하고 걱정해도 방법은 없었지만 그나마 불교의 윤회사상으로 다소나마 마음의 위안을 얻을 수 있었다.

세월이 흘러 흘러 엄마가 어디로 돌아서 가신 줄은 모르겠지만 이제 곁에 안 계시다. 아무리 과학이 발전하고 달나라 아니라 더한 곳까지 간다고 해도 멀리 간 그리운 분들을 다시는 만날 수가 없다는 것은 삶 자체를 무의미하게 만들기도 한다.

언젠가 라디오에서 죽음에 관련된 노래를 들었던 적이 있는데 돌아가신 분은 멀리 간 것이 아니라 바람이 되어 우리 곁에 있으니 너무 슬퍼하지 말라는 내용이었다. 엄마가 계실 때는 좋은 일이 있거나 하소연할 때 습관적으로 전화를 걸곤 했다. 돌아가시고 한동안 가장 큰 내 편을 잃은 느낌이었다. 그래서 지금은 혼잣말을 중얼거리곤 한다. 옆에 계신 것처럼.

돌아가시기 직전까지도 장애가 있는 손자를 돌봐주시고 무척이나 예뻐하셨다. 엄마인 나만큼, 꼭 그만큼 사랑하셨다. 그런데 5살이었던 손자는 할머니를 잘 기억하지 못하는 듯하여 안타깝다. 마르지 않는 샘 같은 사랑을 주셨던 할머니의 존재가 잊혀 간다는 것이 마음을 아리게 한다.

어디서 왔다가 어디로 가는지 알 수 없다는 노래 가사처럼 힘들게 살아내신 부모님의 뒤를 이어 내가 살고 또 나를 이어서 내 아들이 살겠지. 돌아가신 부모님을 그리워한다는 건, 내 등을 보고 싶어 하는 것과 같지 않을까?

어젯밤 꿈에 오랜만에 엄마를 보았다. 미소를 띤 얼굴로 손을 흔들며 바삐 어딘가로 가시는 모습이었다. 말한마디 나누지 못했지만 내가 잘살고 있으니 마음 놓고 가신다는 듯했다. 다시 만날 수 없는 슬픈 표정이 아니라서 안심되고 마음이 편안해졌다. "모든 마음의 짐을 내려놓으시고 편안히 쉬세요. 막내딸이 알아서 잘할게요. 사랑해요. 엄마!" 전하지 못한 말을 마음속으로 전해본다.

장애

‖ 남에게도 나처럼, 나에게도 남처럼
/김정희

4월 첫 주말, 그녀는 몇 년 만에 무등산 세인봉 코스를 오르고 있었다. 지금쯤이면 진달래가 하나, 둘 피고 있을 것이 분명했다.

한동안 가슴속 한가득 화를 품고 죽을 듯이 헐떡거리면서도 무등산에 올랐었다. 그 산을 그녀는 오늘 구석구석을 느긋하고 편안한 마음으로 성큼성큼 내딛고 있다.

예전에는 산에 있어도 산을 보지 않던 그녀가 오늘은 하늘, 나무, 야생화, 바윗돌까지 처음 산에 온 등산객처럼 신기한 눈으로 보고 있었다.

지난해 이맘때쯤, 그녀는 마음속 묵혀 왔던 원망이자 짐인 누군가를 정리했다. 자신에게 묻고 되묻기를 반복하면서 그동안 괴롭혔던 일부는 받아들이고, 일부는 내려놓기를 반복했다. 어느 순간 온전한 자신을 마주하게 되었다.

한때, 그녀는 모든 상처와 불행은 자신에게만 있는 것이냐며 분하고 억울하게만 느꼈었다.

사계절이 몇 번 바뀌면서 그녀는 몸만 건강해진 게 아니라 마음도 더 단단하고 유연해지며 편안해졌다.

사람 사이의 문제는 일방적인 누군가의 잘못으로 일어나지 않는다는 걸 알게 되었다. 남 탓만 하던 당시를 돌이켜보면서 그녀는 스스로가 부끄럽고 작아졌다.

그녀의 마음속에는 모든 일을 삐딱하게 바라보고, 자신의 방식대로 왜곡하며 타협의 여지라곤 없던 옹졸하고 속 좁은 그녀만 있었다.

이제 그녀를 둘러쌌던 벽들이 하나, 둘 깨지면서 남에게도 너그러워지고 그럴 수 있지! 라며 좀 더 관대해졌다.

또한 자신을 너무 냉정하고 객관적으로만 바라보던 그녀는 모자람도 자신의 일부임을 받아들이며 더 성숙해 가고 있음을 느끼게 되었다.

남을 바꾸기란 어렵다고 한다. 그래서 자신의 시선을 바꾸려고 노력한다. 한 발짝 물러서서 바라보는 여유를 가지고 그녀는 오늘도 다짐 또 다짐한다.

세인봉의 진달래꽃이 피어있는 고갯길을 따라 중봉의 어느 자락에서 맡았던 주목의 그윽하고 깊은 향을 기대하면서 발걸음을 재촉해 본다.

‖어느 순간도 그는 없었다
/김대선

밤 12시가 넘어 들려온 소식에 모든 게 멈춰버렸다.

충격을 받아 주저앉기도 전에 그와 맞닥뜨렸다. 그리곤 머릿속으로 내가 할 수 있는 일이 무엇인지, 무엇을 해야 하는지부터 생각하고 있었다.

나 자신이 그와 맞닥뜨렸다면 멍하니 시간만 보내다가 좌절하고 포기하고 말았을 텐데. 내 딸에게 일어난 일이기에, 처음처럼 원점으로 되돌려야만 한다는 조급함에 필사적으로 살았다.

누구에게나 감당할 만큼의 시련이 닥친다고 한다. 그 시련의 끝은 어딜까? 끝이 있기는 한 걸까?

유난히 엄마 바라기인 막내딸을 보며 오늘도 그 시련을 감당하며 살아가고 있다.

창밖은 벚꽃이 한창이다. 딸과 손을 꼭 잡고 벚꽃길을 걸으며 봄을 맞이한다.

‖어떻게 해야 할지? 모르겠다
/김민송

재작년, 그가 왔을 때 병원에 있었다. 그는 지금도 어
떻게 해야 할지? 잘 모르겠다고 했다. 말하는 게 어렵
다. 하지만 내가 그를 극복하려고 한다. 그래서 다짐하
고 있다.

▕선물처럼 온 그와
/신혜수

그가 내 곁으로 오던 날 나는 너무나 설렜지. 그가 내 곁으로 오기까지 그와 함께한 10개월의 여정이 얼마나 행복했는지를 그가 알기를 바랐지. 하지만 나는 알아버렸지. 그가 내 삶에 온 이유는 결코 웃음만을 주기 위함이 아니라는 것을.

나는 그와 살기 위해 계속 싸워야 했지. 그를 둘러싼 사회와 싸워야 했고, 그를 온전히 받아들이지 못하는 가족과 싸워야 했으며, 그를 그로써 인정 못 하는 나와 싸워야 했지.

그를 키우며 나는 많이 넘어졌지, 그 때문에도 넘어졌지만, 나로 인해 더 많이 넘어졌지. 넘어질 때면 내 인생이 많이도 원망스러웠지.
"주여, 왜 나를 버리시나이까?"

손을 놓고 싶을 때가 있었지. 그와 함께 바다로 달려들고 싶을 때도 있었지. 남을 원망하며 그를 붙잡고 엉엉울 때도 있었지.

그런데 그는 그때마다 나를 보고 얘기했지.
"엄마, 은혜받지 마세요."

내 눈물이 하나님이 주시는 은혜라고 생각하는 걸까?
그는 내가 울면 지금도 내 눈을 바라보며 얘기하지.
"엄마, 은혜받지 마세요."

나는 그에게 그때마다 얘기했지.
"울지 않을게. 놀랐구나! 하지만 아들아, 너는 이 은혜를 누려야 해. 우리 은혜 많이 받자, 응!"

지금 나는 알고 있지. 그가 내 인생에 온 선물이라는 사실을. 선물은 그 이름만으로도 가치가 있다는 것을.

그와 함께 걸어왔던 모든 날보다 이제 그와 함께 걸어가야 할 길이 더욱 힘들 수도 있지만, 나는 그가 있어 행복하다고. 그는 나에게 있어 나보다 더 소중한 보물이라고.

오늘도 엄마는 사회를 향해 외치고 있지.
"우리는 결핍을 안고 살아가잖아요. 이 아이도 여러분보다 조금 더 많은 결핍이 있을 뿐이에요. 우리 서로 사랑하며 나의 부족함을 메꾸어 가듯이, 이 아이의 결핍도 사랑으로 안아주세요."

그보다 1분만 더 살고자 하는 엄마는 아프다는 것도 죄 같아서 오늘도 맨발로 땅을 짚었지. 행복하고 싶어서.

‖아름다운 도전
/조은자

한순간의 오토바이 사고로 한쪽 팔을 잃은 그녀의 삶
이란, 나는 과연 상상이나 될까?

아침에 일어나면 세수하기, 머리 감기, 목욕하기, 청바
지, 원피스 입기, 운동화 끈이 풀어지기라도 하면? 처
음으로 의수를 벗기로 마음먹기까지와 피트니스 선수
로 대회에 나가는 그녀의 아름다운 도전에 박수와 응
원을 보낸다. 그녀가 의수를 벗고 세상 속으로 한 발
짝 나아가는 순간까지 많은 시련과 고통을 견디어 낸
결과인 것 같다.

내가 이토록 평범한 일상에서 긴강하게 살아 있음에
감사하고 또 감사는 마음이다. 그녀의 아름다운 도전을

응원하는 마음과 내 모습을 비추어 본다.

도전을 가로막고 있는 건 바로 나 자신이다. 다른 사람은 나한테 관심조차 없음에도 나는 남의 눈을 신경 쓴다. 그녀의 아름다운 도전처럼 나도 나답게 내 인생에 아름다운 도전을 하나씩 시작해 보고 싶다.

‖기적 같은 일상
/진윤혜

나는 내가 누리고 있는 나의 삶에 대해 매일 감사 일기를 쓴다. 자유롭게 움직이는 건강한 몸, 건강한 아이들, 착한 남편, 편안한 집, 좋은 친구들. 내가 누리고 있는 지금의 기적 같은 일상들에 감사하지 않을 이유가 없다.

나에게는 늦둥이가 있다. 초등 2학년인데 늦은 나이에 낳아서 그런지 기관지가 좋지 않아 한 번씩 아프면 숨을 제대로 쉬지 못해 쌕쌕거린다. 어젯밤에도 숨 쉬는 게 힘들어 밤새 잠 못 자고 뒤척이다 아침이 돼서야 겨우 진정되었다. 아픈 아이를 두고 글쓰기 수업을 들으러 가자니 뒤통수가 낭겼지만, 초등 3학년인 늦둥이 형도 마침 기침하길래 둘이 게임이나 실컷 하라고 집에 놔두고 나는 내 건강을 챙기러 글쓰기 수업을 다녀왔다.

내가 아이들에게 연연하지 않는 이유는 면역이 되어서이다. 우리 24살 큰아들이 희귀성 난치병이라 중고등 시절 병치레를 하며 보내다 보니 나름 대범해진 것이다.

처음 병을 알게 되었을 때 아들이 어려서 치료법이 듣질 않아 절망스러운 상황이었다. 스테로이드제 치료법을 쓰고 난 후 얼굴이 심하게 부어 당장 치료를 그만둘 수밖에 없었고, 다른 주사 요법도 60%의 확률로 몸에 맞지 않을 수도 있었다. 도박하는 심정으로 아이의 치료법을 선택했어야 했다. 만약 주사 요법마저 듣지 않는다면 결국에는 수술해야 하는데 그 수술의 최악은 사망에 이른다는 병의 진행 과정을 들었다.

스테로이드는 이미 부작용으로 더 할 수가 없었고, 주사 요법 또한 아이가 어려 조심스럽다는 의사 소견. 나는 선택이라는 걸 하기가 두려웠다. 아이를 안고 같이 죽어야겠다는 마음을 먹었더랬다. 고통스러운 과정을 죽어라 견디느니 차라리 그게 편하겠다 싶었다.

그런 마음을 먹고 있던 즈음 세월호가 터졌다. '전원

구조'에서 아이들의 사망 숫자가 올라가고 배가 차츰차츰 가라앉는 모습을 실시간으로 보면서 나는 아무것도 할 수가 없었다. 세월호 엄마들 앞에 한없는 죄인이 된 것만 같았다. 단지 살아만 있어 달라는 엄마들의 간절함 앞에 나는 큰 죄를 지은 것만 같았다. 내 새끼가 아프다는 이유로 같이 죽으려 했다는 마음을 먹다니 내가 죽일 년이었다.

이후 세월호 엄마들에게 속죄하는 마음으로 정치 활동을 적극적으로 하게 되었다. 바른 소리를 하는 정치인들을 후원하고 광장으로 뛰쳐나가 피켓을 들고 소리 높여 외쳤다. 정치 활동을 하면서 함께하는 법을 배우고 공감하는 시간을 가지면서 나는 성장했다.

내 삶에 장애는 언제 어디서든 생길 수 있다. 그 장애를 오늘 맞닥뜨리지 않은 것이 기적이라 나는 감사하다. 나는 내 일상에 다시 큰 장애가 찾아온다 해도 감사함으로 내 삶을 채우고 싶다. 더 단단해지고 싶다. 삶에 닥치는 큰 고난과 시련 앞에 무력한 우리가 할 수 있는 게 무엇이 있을까. 그저 나에게 주어진 이 모든 것에 감사하기.

나에게 주어진 평온한 하루가 감사하다.

‖모든 아픔도 내 몫이다.
/송정희

그렇게 햇빛이 좋을 수가 없었다. 친구들과 삼삼오오 걸어서 집으로 돌아오는 하굣길. 뭐가 그리도 재미나던지. 어린 초등학교 3학년생의 하굣길은 무엇이든지 매일 매일 신나 까르르거린다.

그즈음 나는 또래 친구들의 발걸음을 제대로 맞추어 걷지를 못했다. 나는 조금 무신경한 성격 때문인지 아니면 그냥 무던한 성격인지 친구들보다 조금 느리게 걸어도 잘 따라서 곧잘 걸었다. 경보라고 해야 하나? 그렇게 빠른 걸음으로 집에 도착했지만 나는 땀도 나지 않았고 몸도 힘들지 않았으며 심지어 다리도 아프지 않았다.

그날이다. 평소 무관심으로 대처하는 엄마가 물어보셨다. "너 다리는 왜 그러니?" "응? 내 다리 뭐? 모르겠는데" 나는 정말 몰랐고 내 걸음걸이가 이상하다는 것 또한 느끼지 못했다. 그저 얼마 전부터 나의 걸음이 느려졌다는 것 그것 또한 나는 별일 아닌 듯 걸어 다녔다.

지금에서 생각해 보면 참 나는 미련 곰탱이었다. 은연중에 마음 깊이 엄마의 존재를 무서워하는 아이였기 때문이었을까? 아니 그것은 아닌 거 같다. 그냥 내가 행동하는 것에 크게 문제 삼을 만한 일은 아니기에 그저 침묵하였던 거 같다. 어쨌든 엄마의 눈에는 내가 절름발이가 되어 있었다. 엄마는 걱정을 하는듯했으나 얼굴엔 아무 표정이 없었다. 약간은 거친 듯한 목소리 톤 거기에 요즘 말로 츤데레가 엄마의 트레이드 마크다.

엄마는 택시를 잡아 나를 태웠다. 그 시절 택시를 탄다는 건 정말 큰일이 있어야만 탈 수 있었다. 나를 택시에 태워 영등포 어느 거리에 있는 정형외과와 접골원을 겸하는 곳에 데려갔다.

조금은 케케묵은 곰팡내와 어두운 실내. 그 당시에 병원 안에서 금연이었는지 아니었는지는 모르겠지만 뿌

연 연기로 둘러싸여 담배 냄새가 질펀하게 풍겨 내 숨을 끊어지게 하는 거 같았다. 앞머리가 대머리인 할아버지 의사 선생은 나를 좁고 기다란 침대에 눕혀 무릎 종아리 그리고 엉덩이 골반을 툭툭 건드리고 만지더니 "크게 이상 없어 보이는데 그래도 모르니 엑스레이나 좀 찍어 보든지." 어린 나는 '에구 저 할배 엉터리네.'라고 생각했다. 아마도 뼈가 크게 다치지 않아서 벌 수 있는 돈이 안 된다고 생각하는 거 같았다.

나는 어둑한 복도 골목을 걸어 방사선과 라고 찍힌 방에 들어갔다. 가만히 누워 엑스레이를 찍었다. 결과는 별반 다른 게 없었다. 그렇지만 나는 절름발이가 되어 있었다. 엄마의 눈엔 분명 그랬다. 혹시 모른다며 엄마는 나의 왼쪽 다리에 허리 골반부터 발목까지 깁스해 달라고 했다.

아마도 엄마 눈에는 내가 병원에서는 나오지 않은 원인으로 그냥 집으로 갔다가 더 다리를 절기라도 할까 봐 걱정했다. 다른 사람들에게 다리 병신으로 불리는 게 두려웠을지도 모를 일이었다. 깁스를 해 달라고 했던 엄마는 나를 침대에 눕히고 팬티를 반쪽만 입혀 놓은 채 잠시 어디론가 사라지셨다. 아마도 급하게 병원으로 왔고 생각지도 않은 엑스레이에 깁스까지 했기에 급전을 구하러 나가신듯했다.

이런 표현이 지금도 황당하지만, 나는 반쪽 하의 실종으로 음큼스럽게 생긴 아저씨에게 나의 왼쪽 다리를 내맡긴 꼴이 되었다. 어린 나이지만 그때 참 모멸스러웠다. 그 창피함이란. 눈을 꼭 감고 내가 누워있는 곳을 하나하나 생각하며 머리로 느끼고 기억하려고 애썼다. 무서웠고 창피하고 엄마가 나를 버리고 가버린 그 순간 원망이 가득해서 아마도 그래야만 했던 거 같다. 나는 그렇게 6개월 동안 깁스했고 당연히 학교는 결석이었다.

나의 다리로 미래의 내가 어찌 될지 모를 일이었다. 학교에 가지 않고 공부를 안 한다는 것만 빼면 참 심심했다. 항상 혼자 누워서 지냈으므로. 그때 마침 담임 선생님이 집으로 방문하셔서 선물로 주신 소공자, 소공녀 책 두 권이 나를 무료함에서 해방감을 주었다. 소공자, 소공녀로 상상이 나래를 펼치며 지내다 보니 깁스를 풀어야 할 6개월이 되었다.

깁스를 풀었다. 제대로 걸을 수 없었다. 물리 치료를 받아야 했건만 집안 형편상 매일 매일 병원을 오가며 물리 치료를 받을 수는 없었다. 커다란 빨간 고무 대야에 펄펄 끓인 물을 받아 다리부터 넣었다. 물로 다리를 마사지 해주었다. 그리고 무릎을 구부려 보라고 한다.

물리 치료사는 당연히 엄마다. 깁스했었던 동안에 뻑뻑해진 나의 왼쪽 다리는 억지로라도 무릎을 구부려 보라는 엄마의 단호한 말투와 성화에도 느리게 움직이기만 했다. 엄마는 내 무릎이 움직일 때까지 물을 끓이는 일을 쉬지 않았다. 여전히 엄마의 마음속에는 내가 다리 병신이 안 되기를 바라고 있었다. 이런 내 상황이 엄마에게는 큰 사건이었다.

나는 엄마표 물리 치료를 받고 걸었지만 조금 얇아진 다리를 가지게 되었고 짧은 시간 동안 다리의 근육 부족으로 목발과도 친해지게 되었다. 그렇게 걷고 걷다 보니 걷는 것이 크게 이상하게 느껴지지 않았다. 나의 눈엔 신체 감각이 그렇게 느끼고 있을 뿐이다.

그러나 엄마의 눈엔 미세하게 짧아진 다리 길이와 절룩거리는 걸음새가 보였기에 때로는 무심하게 신경질적으로 언성을 높이며 잔소리를 해 대셨다. 다소 짧아진 다리로 살짝 기울어진 어깨를 반대편으로 펴듯 세우며 걸으라든지, 깁스 시에 왼쪽 발목이 바깥쪽으로 돌아가서 팔자걸음이 된 걸 본 후는 발을 일자로 똑바로 하고 걸으라든지(그때 엄마가 없어서 그 음큼 아저씨가 내 발목을 소중히 여기지 않아서 발목이 그래! 속으로만 외치고 있었다), 또 신경 써서 발을 일자로 내어 걸으면 이상하게 골반이 틀어져 버려 오른쪽 엉덩이가 튀어나오나 보다. 그러면 엄마의 내 던지는 소리가 또 들린다. 어깨 펴고 허리 펴고 엉덩이 들이밀고 천천히 걷지 말고 조금 빠르게 그렇게 매번 언성을 높이다가 언젠가부터 그 소리도 줄어들었다. 아마도 엄마는 딸의 다리가 병신이구나! 하고 단념한 듯했다. 그렇게 엄마의 단념과 동시에 나는 내 몸의 불편함이 생활하는 데 있어 많이 어렵지 않았고 다른 비장애 일반인들과의 마찰도 없이 무던히 지내 왔다.

걷고 뛰는 것에 지장이 없었고 나는 그 옛날 엄마의 걱정과 대놓은 잔소리가 무색할 만큼 운동도 열심히 했다. 아주 이따금 사진 찍을 일이 생겨 나의 전신을 보았을 때 내 몸 균형이 밸런스가 안 맞는 걸 알게 되었다. 가끔은 지인들이 말한다. 골반이 많이 틀어졌네. 그러면 허리를 다시 꼿꼿하게 펴고 걸어 보려 했다. 그렇게 나는 억지로 생각하지 않았고 잊으며 살아왔다.

40대 초반이었다. 나는 다리의 원인을 알게 되는 사건이 있었다. 여름 시즌으로 정신없는 주말을 보내던 중 옆 직원의 실수로 박스가 우르르 넘어지고 나는 그걸 피하다 허리를 삐끗했다. 그날은 병원 갈 시간적 여유도 없어서 파스 하나 사서 붙이고 주말을 보냈다. 그 시절 나는 목숨 걸듯 일에 빠지던 때였고 허리의 아픔은 별거 아니라고 치부했으나 월요일에는 꼼짝할 수가 없었다, 이리도 저리도 움직일 수 없는 허리통증으로 눈물을 한 바가지나 쏟아내고 나서야 병원으로 갔다. 엑스레이를 찍는데 그 옛날 찍던 그대로가 아닌 앞뒤 엉덩이 이쪽저쪽 그리고 고관절 등 여러 군데를 찍었다.

그리고 난 후 의사 선생님의 면담에서 나는 많이 당황했다. 허리야 삐끗했으니 주사 맞고 약 처방으로 된다지만 나의 다리는 어릴 적 그 절름걸이가 되었을 때 수술도 가능했다는 거였다. 의사 선생님은 왜 그냥 뒀지? 라며 갸우뚱하시더니 어떤 속 시원한 답변도 없이 허리 환자로 왔으니 그렇게 구렁이 담 넘듯 넘어가는 분위기가 됐다.

설령, 수술을 시도해서 나의 다리가 온전히 정상적으로 돌아온다 해도 당시 수술할 시간도, 금전적인 여유도 없었다. 생활하는데 크게 불편함이 없었기에 스스로 크게 문제 삼지 않았다.

그렇게 세월이 흐른 50대, 우울증으로 인해 나는 25킬로의 살이 찌면서 여기저기가 아프기 시작했다. 왼쪽 엉덩이 부분은 가끔 칼로 그어내는 것처럼 사각거림을 느끼고 불어난 체중으로 인해 나의 무릎은 고통을 호소하고 있었다.

다시 병원을 찾은 나는 왼쪽 다리에 대해 정확한 진단을 받았다. 바이러스로 인한 후천적 유전이며 수술은 가능했으나 지금 현 상태는 안 하는 것이 더 낫다는 결과가 나왔다. 수술 후 넘어지거나 사고에 의해서 더 다칠 수 있으며 걷지 못하는 상황이 올 수 있다는 결론이었다.

나는 담담했다. 문득 후천적 유전이란 말에 생각이 났다. 친할아버지도 다리가 불편하셨다. 이유 없이 절고 다니셨다. 희미한 기억의 조각 퍼즐을 맞추어 보자면 친할아버지는 넘어지신 후로 다리를 더 못 쓰시고 누워 계시다 돌아가셨다. 그 옛날 깁스했던 나를 방 한쪽에 덩그러니 눕혀 놓은 채 엄마는 아무 죄도 없는 자신의 아버지를 향해 "하다 하다 손녀딸한테 물려 줄게 없어서 당신 앓고 있는 다리 병신 병까지 물려주냐!"고 깊은 한숨 섞인 말을 쏟아내었다.

아마도 아버지의 형제들은 친할아버지의 다리 절음의 병명을 알고 있었던 듯하다. 그랬기에 내색도 못 하고 그런 상태가 된 딸이 불쌍하기도 하고 하필 당신의 손녀에게 이런 병고를 주는지 엄마는 얼마나 애통하고 원망했을까 싶다. 이제 와 누구를 원망하고 탓하겠는가. 50년의 중반을 이렇게 살아왔는데 살아오는 세상이 힘들었더라도 내 신체 일부분의 불편함으로 내가 힘들었던가 싶은 생각이 들었다.

그래도 나는 그동안 건강히 살아왔고 지금 다만 내 몸의 체중이 불어나 무릎과 엉덩이 그리고 허리까지 아파 걷는 것이 더 힘들지만, 나는 고민에 빠지지 않기로 했다. 내게 친구 하자면 다가왔던 우울증은 타파했고 또 설령 슬며시 내게 달라붙어도 잘 떼어낼 마음의 힘이 생겨나고 있었기 때문이다.

내 체중이 불어 아프고 힘이 드는 것도 어찌 보면 내가 만든 참혹의 결과인 것을 어찌하랴. 예전의 나는 보기 좋은 체형이었고 다른 이들과 별반 없이 잘 걸었고 운동도 잘했다. 체형이 조금 틀어졌다 해서 결코 창피하다고 생각하지 않았던가. 아니다. 솔직히 고백하자면 조금은 창피했다.

나의 잘못도 아닌데 내 잘못인 듯 괜스레 얼굴이 붉어지고 했으니. 나는 요즘 생각한다. 나보다 더 불편하고 사지가 없는 사람도 웃으며 세상을 단단하게 살아가고 있는데 나는 절름거리고 체중이 늘었다고 버거워하는 자신이 얼마나 뻔뻔하고 불평으로 가득한지를. 그리고 소소한 행복들을 뒤로하고 모는 체했던 것은 아닌지 말이다.

나는 다시 운동을 시작하려고 한다. 물론 걸으면 엉덩이도 무릎도 아플 수 있을 테지만 천천히 조금씩 움직여 보려 한다. 가끔은 지인이든 처음 보는 이든 나의 뒤뚱함을 보고 궁금해하고 또 물어본다. 이제는 창피해하지 않을 테다. 상대가 들어 준다면 내 상태를 차분히 말해 주려 한다. 이제 죽는 날까지 짧아 절룩거리며 걸어가야 할 내 다리는 나의 동반자인 것을. 모든 아픔은 내 몫이다.

‖반갑지 않은 손님
/전근아

그림책 중에 '부러진 날개'라는 그림책이 있어. 이 책에는 공원 숲에서 건강하게 지내던 꼬마 참새가 어느 날 부리가 부러지는 이야기야. 아무 이유 없이 그런 일이 생기고, 꼬마 참새의 삶이 위협을 받게 되는 이야기지. 불행이란 녀석은 반갑지 않은 손님처럼 기습적으로 찾아오나 봐.

어느 겨울 아침 손님이 방문했어. 모처럼 한가한 날이라 늦잠에서 일어났는데 눈이 너무 아팠어. 피곤해서 그렇다고 생각했지. 그즈음 늘 눈이 시렸으니까. 양치하는데 물이 줄줄 새는 거야. 거울을 보니 얼굴이 이상했어. 눈꺼풀이 내려가지 않았고 입은 비뚤어지고 얼굴이 한쪽으로 기울어져 가는 거야. 나의 자랑거리인 미소도 지어지지 않았어. 내가 웃을 때마다 얼굴은 더 일그러지고, 시간이 흐를수록 내 얼굴은 야수의 모습으로 변했어. 안면 마비가 온 거야.

달려가 마주한 한의원 원장님은 신경이 손상되었다고 하셨어. 호전은 되겠지만 완치는 어렵고 후유증이 남는다고 덧붙였지.
"이 신경은 쇠심줄이라 쉽게 끊어지지 않는데 얼마나 고단하게 살았느냐고"
그 말이 나를 무너뜨렸어. 얼마나 서럽던지 침을 맞는 내내 눈물이 쏟아져 내렸어. 그동안 잘 숨겨온 내 치부를 들킨 것 같았지, 뭐야.

나의 육체와 정신 사이 어디쯤 있는 신경 줄이 낡은 현악기처럼 퉁 하고 터져버렸나 봐. 연주가 서툴러서 그저 힘만 잔뜩 들어간 채로 삶의 활을 긁어댔으니, 악기가 버티지 못했던 거지. 앞이 캄캄했어. 이제 뭘 어찌해야 할지 알 수 없었지. 회복할 수 있을지 걱정도 되었고, 사람들 앞에 서서 밥 빌던 사람이 이제는 뭘 해야 하나 하는 걱정도 들었어.

친구들은 나를 위로했어. 괜찮아질 거라고. 그러면서 손님이 너를 찾아온 이유를 찾아보라고 했어. 그거 마치 내가 살아온 삶이 잘못되었다고 말하는 것 같았지.

나의 무엇을 헤집어 분석하라는 건지. 위로라고 건네는 말들이 나에게는 또 다른 상처가 되었어. 아픔의 공식은 더하기보다 곱하기를 더 잘하는 것 같아. 신체적 아픔은 마음의 아픔으로, 경제적 아픔으로, 관계적 아픔으로, 자꾸만 확산이 되고 있었어.

나와 마주하는 일은 고통스러웠어. 그래도 해야만 했어. 그제야 내 안의 내가 보이는 거야. 매일 나와 싸우고 있는 나를 말이야. 인정하기로 했어. 삶의 방향을 수정해야 한다는 것을. 그냥 순리에 따르기로 마음먹었어. 그래서 1주일 뒤 예정되었던 로마 여행도 꾸역꾸역 실행했어. 모자에다 마스크에 안대까지 했으니 눈 한쪽만 내놓고 복면을 쓴 꼴이었어. 그러고는 로마 광장을 걸어 다녔지. 상상해 봐 얼마나 우스꽝스러운 모습이었을지.

다행히 미소를 다시 찾았어. 그 후 나 스스로 다그치지 않기로 했어. 가족들도 한 발짝 떨어져서 볼 수 있게 되었지. 내 맘대로 안 되는 게 세상이라는 걸 인정하기로 했어. 별처럼 빛나는 걸 목표로 삼지 않기로 했지. 먼지처럼 조용히 살다 가도 나쁘지 않다는 걸 알게 되었어. 별도 먼지로 이루어진 거잖아. 그리고 나를 위한 선물을 하며 살기로 마음먹었어.

질문

‖문득 걸음을 멈춘 적이 있나요?
/김정희

2월 중순, 복수초를 보면서 '겨울이 다 가고 있구나!' 생각했다.

한 달 만에 다시 찾은 숲길에는 어느새 그 친구들의 무리인 샛노란 군락들이 여기저기 눈에 띄었다. 도시보다는 산속의 봄이 늦게 오지만 땅은 먼저 봄을 느끼며 재빨리 반응한다.

오늘도 난 서둘러 가방을 챙기고 장생의 숲길로 달려갔다. 나무들이 아직 푸르지 않아서인지 대지의 풀들과 작은 야생화에 먼저 시선이 갔다.

"벌써 올라왔네."

몇 번 혼잣말로 교감하고 있었다. 그리곤 고개를 연신 돌려가며 또 누가 있나 열심히 찾아보았다.

한참 숲을 걷다 보면 하늘을 가릴 만큼 큰 삼나무 군락이 보인다. 그럼 난 커피 타임이야 하면서 늘 앉던 나무 벤치에 자리를 잡는다. 고개를 들어 나무들 사이로 살짝 보이는 하늘을 올려다본다. 하늘의 기운이라도 받으려고 하는지 한참을 그렇게….

아! 오늘은 하늘이 파랗다. 흐린 날 숲은 낮이어도 늦은 오후처럼 살짝 무섭게 느껴지곤 한다. 매번 그 벤치에서 챙겨온 커피를 마시면서 나를 병풍처럼 둘러싸고 있는 삼나무들을 찬찬히 살펴본다.

'너희들은 오늘도 이곳에 잘 있구나! 여전히 푸르고 튼튼하고 우람한 자세여서 우직해 보이기까지 하잖아. 너희들을 바라보며 영원히 변하지 않을 거란 믿음과 확신이 느껴져.'

그래, 내가 생각하는 그 사람처럼. 그 사람도 항상 똑같아. 시간이 지나도 여전해. 변하긴 하지. 더 진하고 깊어지는 장맛처럼.

내가 어떤 말을 꺼내놓아도 다 들어주지. 그 얘기가 헛

소리든 신세 한탄 그 무엇일지라도. 양희은 선생님의 책 제목인

"그러라 해. 그럴 수 있어."

하면서 온전한 내 편처럼, 항상 내 뒷배가 되어주지. 난 알면서도 고맙다는 말은 하지 못했지.

비가 오면 촉촉이 물기를 머금어 더 윤기가 나고, 눈이 오면 하얀 옷에 파묻혀 우아해 보이기까지 해.

"바람과 비가 뭐 대수라고."

나에게 말하는 듯하다. 그러니까 너도 너무 까칠하게 굴지 말고 둥글둥글하게 잘 지내라고. 그리고 뭐든 하고 싶은 거 있으면 고민하지 말고 그냥 다 해보라고 한다. 네 인생의 주인공은 언제까지나 너 자신이라며.

오늘도 난 나의 든든한 후원자들과 봄을 같이 맞이한다. 내 푸념과 고민을 다 토해내고 조금은 모자란 해답을 갖고 다음을 기약하며 돌아선다. 오늘 하루도 더 충만해졌다. 4월에는 더 푸릇해졌을 숲길을 기대해 본다.

"고마워! 나의 삼나무 친구들."

‖엄마, 나 잘살고 있는 거 맞아?
/김대선

문득문득 병원에서 딸과 산책하면서 딸을 기다리면서 설거지하면서 운전하면서 잠자리에 들면서 수 없이 당신을 생각합니다.

"엄마, 나 잘하고 있는 거 맞지?"
"보고 싶다. 보고 싶어. 엄마!"

2~3년 사이에 많은 일이 있었다. 그 일 중 엄마가 암이 재발해서 병원에도 계셨고 요양원 생활도 하셨다. 그럴 때면 엄마 옆에서 지켜주지 못한 미안함에 나는 힘든 날을 보냈다.

'자식은 필요할 때만 부모를 찾는구나! 내가 그런 자식

이구나! '

내 자식 일은 이것저것 마다하지 않고 나서면서 정작 부모는 이래서 안 되고 저래서 안 되고 핑계가 많다.

딸과 보냈던 많은 아픈 시간, 엄마는 시도 때도 없이 소환되어 나를 위로하는 존재였다.

엄마를 보내는 사흘간, 겨울인데도 비가 많이 오고 눈보라까지 몰아쳤다. 순간 나도 모르게
"엄마의 인생이 이 날씨 같았구나! 이런 삶을 살다 가셨구나! "
라는 말을 내뱉었다. 옆에 있던 언니가
"그래 맞다."
며 답하더니 우리는 서로 부둥켜안아 울기 시작했다.

오늘도 힘겹게 살아가신 엄마를 소환해 본다.
'엄마, 나 어떻게 해? 잘할 수 있을까?'
항상 엄마는 아무렇지 않게
"그까짓 거 별거 아니다."
하시며 넘겼으니 나도 엄마 딸이니까 할 수 있겠지. 나는 다짐하듯 말해본다.

"엄마 나 잘하고 있는 거 맞지?"

▌고마워!

/조은자

"고마워. 고마워. 고마워."

제주도로 이주한 지 9년 차가 되었다. 제주에는 오롯이 우리 가족 네 식구만 있다. 두 아이가 5살, 3살 때 가족은 같이 있어야 한다는 생각으로 함께 왔다.

아무런 연고가 없었고 지인조차 없는 제주도에서 우리는 버티고 버티며 지금까지 왔다. 시간이 지나고 보니 힘들고 슬픈 날 기쁘고 행복한 날들이 생각난다.

내가 낯선 제주에서 버텨 낼 수 있었던 것은 삶의 버팀목처럼 함께 의지하는 사람, 남편이 있었기에 가능했다.

지금은 두 아이 모두 건강하고 바르게 자라주고 있다는 것만으로도 항상 고마운 마음뿐이다.

욕심일까? 그럼에도 매일 잔소리하는 나를 반성해 본다. 오늘만큼은 가족에게 다가가 '고마워!'라고 말하고 싶다.

‖뭐 먹고 싶니?
/진윤혜

한동안 남편과의 관계로 마음이 힘들었던 시기가 있었다. 믿었던 남편은 나보다는 효자의 역할에 더 충실한 듯 보였고 시어머니의 구박에 묵묵부답으로 일관하는 모습에 큰 배신감을 느꼈었다.

나는 공감형인 F이고 남편은 분석형인 T라 내가 힘들다고 하면 대답이 없거나 나를 비난하는 듯한 말을 하는 남편이기에 관계는 더욱 악화되었다. 나도 끊임없이 비난으로 응수했다.

그러다 아티스트 웨이라는 작업을 하게 되었고, 모닝 페이지를 쓰기 시작했다. 좋은 기회로 부부 상담도 같이하고, 나를 위한 여러 작업을 꾸준히 하다 보니 지금은 남편과의 관계가 아주 편안해졌다.

질문이라는 키워드를 생각하다 그 당시에 나에게 가장 많이 했던 질문이 떠올랐다.
"뭐 먹고 싶니?"
힘들어하고 있는 나를 달래기 위한 관심과 애정의 질문이었다. 부모가 아이에게 많이 하는 질문 중 하나이고 좋아하는 사람에게 무언가를 해주고 싶을 때도 많이 하는 질문이다.
"뭐 먹고 싶니? 뭐 먹으러 갈까?"
내가 나의 엄마가 되어 따뜻한 시선으로 물어봐 주었다. 그렇게 나는 혼자서 떡볶이도 먹고 쌀국수도 먹고 멋진 카페 가기 등 내가 가고 싶었던 여러 곳을 나와 함께 갔었다. 내가 나를 사랑해 주고 나와 만나는 시간이 많아지자 자연스레 나의 중심을 잡게 되며 마음이 건강해졌다. 남편과의 관계가 좋아진 건 덤이었다.

지금은 남편이 나에게 묻는다. "뭐 먹을 꺼?"라고. 이왕이면 "맛있는 거 먹으러 가자"라고 해주면 좋겠지만 말 주변 없는 남편인 걸 알기에, 그리고 맛있는 걸 사주고 싶어 하는 마음인 걸 알기에 무엇을 먹고 싶은지 내가 나에게 다시 질문을 한다.

"윤혜야, 신랑이 맛있는 거 사준대. 뭐 먹고 싶니?"

오늘도 나는 나에게 사랑과 애정을 듬뿍 담아 나에게
물어본다.
"뭐 먹고 싶니?"

‖나는 왜 살아가는가?
/정세헌

어떤 일이든 이유는 있기 마련이다. 나는 '왜?'라는 질문을 많이 던진다. 무엇이든 이유가 중요하다고 생각하기 때문이다.

언제부터인가 머릿속에서 맴돌기 시작했다. '나는 왜 살아가는 것일까?' 꽤 오랫동안 생각해 온 질문이었고 때론 나름대로 답을 찾았다고 생각한 적도 있었다.

그중 하나는 사랑이었다. 하지만 사랑에 진득하게 빠져도 보고, 좌절감도 느껴보면서 내가 생각하던 것과는 조금 거리가 있다는 것을 알게 되었다. 그렇다고 돈이나 명예는 나와 거리가 멀다. 남들을 위해 헌신하는 삶이 답이었을까? 하는 생각도 해보았지만 내겐 맞지 않는 것 같다. 또 어떨 땐 사람들의 관심을 받는 것이 내 삶의 이유가 아닐까? 하는 생각이 든 적도 있었다. 하지만 이것 또한 근본적인 답이 되지 못했다. 이렇게 여러 시도가 있었지만 모두 나와는 맞지 않았다.

삶의 이유가 없다고 삶을 포기할 이유가 되진 않는다. 다만 의욕이 조금 떨어지는 건 사실이다. 무엇인가를 할 때 이걸 왜 해야 하지? 라는 생각이 자주 든다. 살아가는 데 특별한 이유가 없으니 대부분 활동에서도 이유를 찾지 못한다. 그럼에도 이것저것 시도해 보려고 노력하지만 진득하게 하질 못하고 결국 포기를 쉽게 하게 된다.

그럴 때마다 또다시 고민한다. 왜 살아가는 걸까? 조금 더 열심히 살기 위해 이유를 찾고 싶다, 어찌 보면 살아갈 이유를 찾기 위해 살아가는 것이 아닐까? 생각할 때가 있다. 그러다가도 사는 데 이유가 필요한 걸까? 생각하기도 한다. 하지만 다시 생각해 보면 나는 무엇인가 이유가 있다고 생각한다.

신의 뜻이든 우연이든 각자에게 주어진 삶. 그래서 의미가 없는 삶일 수도 있겠지만 사람들은 자기만의 이유와 생각으로 살아가고 있다. 나는 내 삶에 대해 늘 생각하고 있지만 딱히 살아야 하는 이유를 찾기 어렵다. 그래서 하루하루가 무의미한 것인지도 모르겠다. 나는 이렇게 반복되는 일상이 싫다. 내 삶의 이유를 찾아 조금은 더 열심히 살아갈 수 있었으면 좋겠다. 내 삶의 이유를 찾을 수 있을 때 그 무엇보다 내가 기뻐하지 않을까?

‖행운 한 알만 주세요
/전근아

"좋은 하루란   어떤 하루인가요?"
"오늘 고마워. 라고 말한 적이 있나요?"

클로버가 자라는 길을 지나가다가 이내 쪼그려 앉는다.
한참을 이리저리 눈을 굴려도 행운을 가져다준다는 네
잎을 가진 클로버는 보이지 않는다.

시력이 낮지 않음에도, 남들은 척척 찾는 것을 찾은 적
이 없다. 내가 풀잎을 들썩이고 있으면 함께 있던 친구
가 "여기 있네." 하면서 선물인 양 건네면 겨우 손에
쥘 수 있었다.

하지만 나의 마음은 썩 기쁘지 않았었다. 행운은 나눌

수 있는 것이 아니라고 생각했기에. 네잎클로버를 찾아
내지 못하는 것처럼 일상에서 행운을 잡아본 적도 없
다. 매일 가는 마트에서 진행하는 사은품 행사에 당첨
되어 본 적도 없고, 체육대회에서 라면상자 하나 얻어
걸려 본 적이 없다.

신은
"너에겐 행운 따윈 없단다. 그러니 언제나 노력하며 살
고, 그저 네 형편을 행복이라고 여기며 살아라."
라고 말하는 듯 해서 내 삶은 씁쓸했다.

"나도 행운을 받고 싶어요. 더도 덜도 말고 행운 한 알
만 주세요."
사탕을 나눠주는 선생님을 졸졸 따라다니며 떼를 쓰는
아이처럼 클로버만 보면 엉거주춤했다. 그러면서 풀잎
하나에 행운을 구걸하고 있는 나도 참 딱하다는 생각
이 든다.

사실 네잎클로버를 찾으면 행운이 온다는 속설을 믿는
것은 아니다. 그저 내 삶에도 행운이 찾아와 줄 거라는
작은 위로를 받고 싶었을 뿐.

나른한 오후에 동료가 건네는 초콜릿 한 개처럼 고단
한 인생에서 아주 잠깐의 달콤함이나마 맛 보고 싶었

다. 시든 화분에서 꽃대가 올라올 때 느끼는 기쁨처럼 비타민 같은 위약효과를 찾고 싶은 내 유약함의 고백이다.

꽃 이야기 블로그를 다시 시작하였다. 클로버에 대한 정보를 찾다가 네잎클로버에 대한 생태적 특성을 알게 되었다.

네잎클로버는 생장점에 상처가 난 줄기에서 생긴다고 한다. 깨지고 짓눌려야 만들어지는 것이다. 네잎클로버를 찾으려면 사람이 밟고 다니는 길가 가장자리에서 찾아야 한다고. 하지만 지금껏 나는 깨끗한 곳에서 네잎클로버를 찾았으니 엉뚱한 헛다리를 긁은 셈이다. '행운도 실력이다'라는 말이 옳았다.

행운은 고통의 시간 뒤에 오는 보상인지도 모른다. 그런데도 나는 공짜로 주어지는 것이라 여겼다. 백화점 행운권도 오픈런을 해야 주어지는 것을.

집을 나서며 흙 발자국이 나 있는 클로버를 슬쩍 바라보았다. 찾았다 요놈.

『나는 왜 '죽음'이라는 키워드에 꽂혔을까?

/신혜수

나에게 '죽음'이라는 키워드는 어릴 적부터 굉장히 친숙하다. 아버지가 남양호 침몰 사건으로 돌아가신 것이 내가 태어난 지 6개월 정도였기 때문이다.

엄마는 그 사건으로 인한 어려움을 호소할 때마다 먼저 가신 아빠에 대한 원망과 아이가 태어난 것을 아빠의 죽음과 연관시키는 시어머니에 대한 미움을 토로했다.

그래서 어릴 적부터 죽음으로 인해 남겨진 이가 괴로움을 당하지 않게 해야 하는구나! 생각했던 것 같다.

아픈 날이 지속되면 마음도 약해지는가 보다. 소파에

누워서 본 '나쁜 엄마'라는 드라마 속 주인공 엄마가 남에게 민폐를 끼치며 죽지 않으려는 고군분투가 결코 남의 일처럼 보이지 않았다.

나에게 언제 죽음이 찾아올까? 나는 그때 우리 가족에게 어떤 어려움을 주게 될까? 내가 먼저 죽게 되면 남편은 아들을 잘 돌봐줄까? 죽기 전 아픈 상황에서 나는 어떤 죽음을 준비해야 할까? 드라마처럼 잠들면서 죽게 되면 참 좋겠다. 그러기 위해 난 지금 어떻게 살아야 할까? 내가 죽으면 아이들은 어떤 삶을 살게 될까?

생각만 해도 눈물부터 나오는 이 키워드가 내 삶을 촉촉이 적시고 있다. 죽는 것은 예전부터 무섭지 않았다. 하지만 남겨지는 이들의 괴로움은 너무나도 무섭고 가슴이 아린다.

건강하게 살다가 죽기 위해서 내가 지금 할 수 있는 일을 찾고 있다. 내가 먼저 가버리면 남겨질 사람들이 나를 빨리 잊을 수 있도록, 공간 속에서 내 모습을 빨리 지울 수 있도록 나는 하나하나 기록을 남기고 있다.

엄마는 이때 이런 생각을 했었구나! 엄마는 이때 이렇게 하셨구나! 엄마는 우리들을 끝까지 사랑하고 있었

구나! 언제 내 인생이 끝날지는 모르지만, 난 그 좁은 문을 향해 매일매일 준비를 한다.

내가 없어도 제발 불편하지 않기를, 내가 없어도 서로 맘껏 사랑하기를. 비가 오면 엄마 생각이 날 거라는 딸아이가 엄마를 좋은 엄마였다고 생각할 수 있기를.

‖몇 살이면 좋겠어?
/김현주

2022년 연초 직장동료들과 차를 타고 이동 중이었다. 연말 연초 흔한 나이에 관한 이야기를 나눴다.

"벌써 사십 대 중반이네. 내 맘은 아직 이십 대인데."
"나는 29살이었으면 좋겠다."
"염치 있게 19살이 아니라 다행이다 야."

동료들의 이야기를 들으면서 예전 같았으면 나도 지금보다 어린 나이를 생각했겠지만, 그날은 이상하게도 '아! 예순이 되었으면 좋겠다.'라는 생각이 갑작스레 들었다. 그런 생각이 떠오른 내가 어이가 없으면서도 뜻밖이었다. 처음으로 어린 내가 아닌 '나이 든 나'를 원했던 것이다.

왜 그런 생각을 하게 되었나 곰곰이 들여다보았다. '밥 벌어먹기 힘드네. 언제 그만두나. 아! 나는 지금 직장 내에서 받는 스트레스가 심각하구나!' 직장 내 스트레스에서, 사회생활 인간관계에서의 스트레스에서 벗어나기 위해 정년인 예순이 되고 싶다고 생각했다는 것에 스스로가 놀랐다.

'이러다 마음이건 몸이건 어디 한군데 고장 나겠구나! 좀 쉬어야겠다.' 2년 후 1년간 휴직을 하였다. 한 달 정도 지났다. 직장에서, 9 to 6 근무 환경에서 멀어지니 좀 살만하다. 하루 종일 누워도 보고, 좋아하는 책을 읽고, 햇빛 좋은 날 가족 아닌 사람들과 벚꽃 구경도 해보았다. 내가 계획하고 내가 원하는 대로 내가 한 행동에 책임지는 그럼 환경을 원했던 것 같다.

내가 고민하여 진행하는 일이 상사의 말 한마디에 쉽게 변경되지 않는 것, 비슷한 성과인데 상사 친밀도에 따라 성과평가가 달라지는 것, 쉽게 생각하여 말 함부로 하는 사람들. 직장 생활하면서 누구나 겪는 일상적인 스트레스들이겠지만 내 안에 쌓이고 쌓여 참을 수 없게 된 것이다. 휴직할 수 있는 용기를 주었던 이런 일들이 종결되는 정년퇴직의 예순을 상상했던 나를 칭찬한다.

아이들과 함께 평화롭고 여유로운 휴직 생활을 잘 보내자. 마음과 몸을 잘 다독여 건강하게 만들어 그 힘으로 남은 20년의 직장 생활을 견뎌보고자 한다. 아니, 나에게 함부로 하는 사람들에게 한마디 할 수 있는 강하고 주체적인 직장인이 되어보고자 한다.

소임

∥어울림 그리고 설렘
/김정희

고요한 새벽을 뚫고 Sunshine Bakery의 간판에 불이 들어온다.

오늘도 나는 창고 한쪽에서 누군가를 기다린다. 드디어 크고 환한 주방으로 옮겨진다. 곧 커다란 체에 두어 번쯤 다녀오면 고운 가루가 된다. 소복하게 쌓이게 되면 다음을 기다린다.

치대고 치대는 크고 거친 손과 달리 나는 점점 찰지고 보드라워진다. 어느새 탄력 가득한 아가의 궁둥이처럼 되어간다. 든든한 지원군 이스트 너만 믿게 된다. 그리고 따뜻한 햇살을 느끼며 잠시 쉼의 사간을 갖는다.

드디어 나는 무엇으로든 바뀔 준비가 되었다. 멋지고 화려한 친구들과 어울리면 난 누구보다 더 눈에 띌 수 있는 모습이 될 수도 있고, 개성 강한 소금 몇 톨만 얹은 소박한 모습이 될 수도 있다.

요새는 다들 향이 진하고 예뻐서 눈에 확 띄는 것에 손길이 가는 거 같다. 그게 조금은 아쉽고 속상하다.

혼자 말고 누군가와 함께 할 때 더 빛나는 내가 되고 싶다. 그렇게 강하지 않고 많이 도드라져 보이지 않아도 된다.

누구와도 잘 어우러질 수 있어서 혼자 말고 너와 그 그리고 그녀와도 아니 우리가 함께 행복해질 수 있는 그 무리 속 일원이 되고 싶다.

아침, 점심 그리고 퇴근길 누군가에 다가와 벗이 되고 위안이 되고 든든히 속도 채워줄 수 있으면 좋겠다. 그게 내가 매일 하는 다짐이다.

어느새 창밖은 환해지고 곧 누군가 문을 열고 들어올 거 같다. 드디어 설레는 하루가 시작이다.

〚나는 가치 있게 사라지고 싶은 단팥빵이랍니다.
/전근아

오늘 나는 어떤 세상으로 나아갈까? 문이 열릴 때마다 심장이 벌렁거린다. 누가 나를 데려가 줄까? 자꾸 내 얼굴에 손이 간다. 화장이 번지지 않았나? 참깨 눈썹이 지워지지 않았나? 쇼 케이스에 비친 내 모습이 흐트러지지 않는지 신경이 쓰인다.

건너편에 앉아 있는, 유난히 피부가 반지르르한 친구들 앞에 사람들이 서 있다. 하얀 분을 바르고 온몸을 비비 꼬아 가며 애교를 떠는 친구도 인기가 좋아 보인다.

사람들은 겉모습을 보고 판단하는 경향이 있다. 그래서 내 모습이 까무잡잡하고 넙데데해서 내 진가를 몰라주면 어쩌지? 하는 걱정도 한다.

하지만 나로 말할 것 같으면 이 집의 원조 중 원조인데 말이야. 뿐만아니라 우리 주인아저씨는 나를 만들기 위해 고향으로 내려가 직접 가장 좋은 팥을 엄선해서 가지고 오신다. 가장 좋은 재료로 누구보다 정성을 들여 탄생한 게 바로 나다. 그러니 나는 귀한 대접을 받아야 하고 좋은 곳으로 가야 한다. 누군가의 행복한 시간을 공유하다가 가치 있게 사라지고 싶은 게 나의 소망이기 때문이다.

문이 열린다. 봄바람이 들어온다. 피크닉 바구니를 든 쉬폰 원피스를 입은 아가씨가 들어왔다. 파란 들판에서 사랑하는 연인과 달콤한 시간을 함께하다 들어왔는지 즐거워 보인다. 아가씨는 냉장 케이스에서 야채와 고기를 안고 있는 정체성이 불투명한 친구를 데리고 나갔다.

문이 열린다. 땀 냄새가 난다. 작업복을 입은 아저씨가 안전화 소리를 내며 들어온다. 아저씨는 이 친구 저 친구 가리지 않고 순식간에 열댓의 친구들을 데리고 급히 나갔다.

문이 열린다. 재잘재잘 은방울꽃 같은 소리가 들린다. 엄마 손을 잡은 아이가 들어온다. 아이는 엄마 손을 잡아끌며 쇼 케이스 한번 엄마 한번 쳐다보며 고민한다. 친구들을 초대하나 보다. 꼬맹이들의 파티는 시끄럽긴 하겠지만 꿈과 미래의 이야기들을 나눌 수 있겠구나 싶다.

아이가 내 앞에 섰다. 나는 아이와 눈을 맞추려고 손동작으로 브이를 해 보였다. 하지만 아이는 내 옆 흰 구름 속 치마를 입은 친구를 데리고 가버렸다.

창문으로 오후의 햇살이 길어지자, 아저씨는 블라인드를 내렸다. 마음이 불안해진다. 선택받지 못한다는 것은 외로운 일이구나! 나는 내가 선택할 수 있는 삶을 살 줄 알았는데.

슬픔이 몰려온다. 나의 가치를 아무도 몰라주는 것 같아 마음이 아프다. 새벽부터 체에 걸러지고, 바닥에 패대기쳐지고, 뜨거운 오븐에 구워지는 시간이 고통스러웠다. 나의 가치를 높인다는 생각과 그 가치를 알아줄 누군가가 있을 거라는 생각에 참고 참았는데.

문이 열리고 닫히고, 또다시 문이 열리고 닫히는 동안 선택받은 많은 친구가 떠나갔다. 늦은 밤 아저씨는 나와 남은 친구들을 한곳에 모아서 상자에 담았다. 나는 상자에 실려 어디론가 실려 갔다.

"딩동! 할머니~ "

"이런, 매번 고맙습니다."

"수진아~ 배고프지."

"아니야 할머니. 이거 할머니가 제일 좋아하는 거잖아."

〖다른 것과 틀린 것
/정세헌

몸이 따뜻하다. 빛이 들어오고 날이 밝아온다. 나는 태어났고 얼마 지나지 않아 진열장으로 옮겨졌다. 처음에는 생소했다. 모든 상황이 낯설었다. 두렵기도 하였지만 무엇인가 조금 기대되기도 했다.

얼마 지나지 않아 어떤 사람이 들어왔다. 그리고 우리를 쳐다봤다. 나는 선택받고 싶었다. 그래서 온 힘을 다해 그 사람의 눈에 띄게 행동했다.

하지만 내 노력이 무색하게 결국 선택받지 못했다. 실망스러웠다. 처음 맛본 실패는 꽤 씁쓸했다. 하지만 그것도 잠시 그 선택의 진실을 알게 된 뒤엔 나는 안도의 한숨과 걱정밖에 할 수 없었다.

선택받은 아이의 몸은 완전히 뜯겨 나갔다. 나는 충격받았다. 열심히 노력한 결과가 저것이라니. 배신감이 몰려왔다. 그리고 걱정되기 시작했다. '만약에 내가 선택되면 어떡하지?'라는 생각이 머릿속을 떠나지 않았다.

그 이후부터 나는 최대한 연기를 해야 했다. 못나 보이도록 노력했다. 남들과는 다른 길을 갔다. 남들은 자신의 선택이 옳다고 생각했지만 나는 그렇지 않았다. 남들의 행동은 잘못된 길이라고 확신했기 때문이다.

나는 다른 길로 떠났다. 하지만 그 길도 굉장히 힘들었다. 나는 항상 남들보다 더 노력해야 했지만, 결과는 늘 반대였다. 세상의 기준과 달랐다. 하지만 내 선택을 후회하지 않았다. 내가 잘못되었다곤 생각하지 않았기 때문이다.

나는 남들보다 우월하다. 다른 친구들은 우매하고 멍청하다. 세상과 하나, 둘 이별하는 그들의 모습을 보면서 그들의 행동이 잘못되었다고 생각했다.

시간이 지나고 결국 나는 살아남았다 아무도 나를 선택하지 않았기 때문이다. 내가 안도의 한숨을 내쉰 순간, 아버지가 오셨다. 그리고 나에게 다가왔다. 아, 내 모든 노력이 물거품이 되는구나! 싶었다. 그가 나를 집었다. 모든 게 끝이 났다. 내가 발버둥 친 것은 헛수고였다. '결국 똑같은 결말을 맞는구나!'라고 생각하며 눈을 질끈 감았다. 나는 아버지에 의해 삼켜졌다.

다시 눈을 떴을 때 나에게는 날개가 달려있었다. 세상을 날아다닐 수 있었다. 해방된 기분이었다. 내가 생각했던 것과 달랐다. 모든 상황이 완벽했다. 하늘을 날 수 있었고 기분 또한 날아갈 것 같았다.

그렇게 세상을 누비던 도중 먼저 간 친구들을 만났다. 나는 그들과 만나기를 꺼렸다. 내가 그들을 무시하며 깔봤기 때문이다. 하지만 그들은 나를 친절하게 대해주었고 함께 또 다른 세상을 누비게 해주었다.

그들과 세상을 누비며 나는 그들에게 사과했다. 내가 틀렸다고. 하지만 그들은 틀린 것은 없다고 말했다. 날개가 생기기 전에 세상을 즐기고 싶어 하는 이들은 꽤 있었다. 그들은 나를 부러워했다고 한다. 그들에게 내 이야기를 해주며 시간을 보내면서 느꼈다. 틀린 것은 없다. 는 것을.

나는 부끄러웠다. 내가 날개가 생기기 전 세상과 좀 더 친절하게 지냈으면 어땠을까? 라는 생각에 빠졌다. 그들도 사실은 틀린 것이 아니었으니까. 그들도 멍청하고 우매하지 않았으니까. 이제 나는 다른 삶을 살아간다. 나만의 길을 찾아가지만, 남들을 이해하는 삶을 살아가고 있다.

‖그의 하루살이

/김현주

나의 첫 기억은 같은 모양의 동그랗게 구워진 12명의 형제와 옹기종기 모여있는 장면이다. 기분 좋은 냄새도 기억 속에 있다.

집안 한쪽에는 네모난 모양으로 구워진 다른 형제들이 있었다. 그런 무리들이 세 무리 정도 있었고 시간이 지날수록 늘어났다. 다른 쪽에는 크림으로 몸을 채운 형제가, 또 다른 쪽에는 치즈와 소시지로 몸을 꾸민 형제가. 칸마다 다른 모습으로 하나, 둘 늘어나는 광경이 신기해 넋을 놓고 바라보고 있었다.

딩동! 하는 소리에 공기의 흐름이 바뀐다. 누군가 들어온다. 키가 큰 그는 내 오른쪽에 있는 형제 한 명과 크림으로 몸을 채운 두 명, 두 칸 건너의 단팥으로 속을 채운 한 명을 챙기고 집으로 데리고 갔다. 갑작스러운 이별이었다. 모든 상황이 처음 겪는 것이라 형제들과 인사하지 못하고 헤어진 것이 가장 아쉬웠다.

딩동 소리와 함께 집안 공기의 흐름은 또 바뀌었다. 이번에는 키 차이가 나는 두 명이 들어왔다. 키가 작은 이가 내 왼쪽의 형제를 가리키자, 키가 큰 이가 손에 든 쟁반으로 옮겨 놓는다. 다른 쪽으로 이동하더니 네모난 모양으로 구워진 형제 중 한 명도 가리킨다. 형제들이 옮겨진 쟁반을 들고 근처에 앉는다. 키 큰 이가 갑자기 네모 모양의 형제를 집어 들더니 몸을 반으로 찢는다. 그리고 반쪽을 작은 이의 입으로 넣어주었다.

평화로운 광경에서 갑작스러운 죽음이었다. 충격과 공포가 밀려왔다. 나도 선택되어 쟁반으로 옮겨지면 죽게 될까? 처음에 집을 떠난 형제들도 결국은 죽었을까?

조금 전까지 온기를 품고 친구들과 재잘재잘 이야기를 나누고 있었는데 한순간에 간담이 서늘해졌다. 옆을 돌아보니 이 상황을 아무도 모르는 것 같다. 빨리 주변에 알려야 했다.

'딩동'

주변에 알릴 새도 없이 또 누군가 들어와 또 한 명의 형제를 데려간다.

'딩동! ', '딩동! ','딩동! '

공기의 흐름이 바뀔 때마다 죽음이 함께 왔다. 공포와 충격에서 다 벗어나지도 못했는데 우리가 있었던 쪽에는 내가 마지막으로 남았다. 나는 오늘 하루를 살아남을 수 있을까?

내 앞에 처음 우리를 집으로 데리고 온 그가 서 있다. 흐뭇한 표정으로 나를 바라본다. 처음과 같이 마음이 편안해지는 웃음이었다. 나는 그와 함께 오늘 하루를 무사히 보낼 수 있을 것만 같았다. 다행이다.

그가 웃으며 나를 든다.

아,

꿀꺽!

'브레드'라는 영상을 보고 삶과 죽음에 대해 생각하며 각색해 보았다. 따뜻한 분위기의 재미있는 영상이었는데 삶과 죽음이라는 주제로 다시 보게 되니 공포물이 따로 없다. 삶 자체가 죽음을 피하기 위한 노력으로 보였다. 그리고 누구나 결국은 죽는다는 지극히도 평범한 진리를 깨닫게 된다.

생명이 태어나는 이유는 뭘까? 내가 태어난 이유는 무엇일까? 그 이유를 찾을 수나 있을까? 굳이 이유를 찾아야 할까? 라는 생각이 든다. 그저 맡은 역할과 소임을 다하며 하루하루 살아내는 것도 삶을 사는 하나의 방법이 아닐까?

작은 행복과 슬픔, 작은 분노와 기쁨들, 그러한 감정들과 오늘 하루를 살아냈다. 매일 나는 평범한 하루를 산다. 하루하루가 죽음을 향해 간다고 생각하면 우울해지지만, 또 죽지 않고 살아남은 오늘의 기적을 생각한다. 모든 생명은 죽음에 다다르니 죽음을 무겁게만 생각하지 않기로 한다.

딩동 소리와 함께 빵집 문을 열고 들어갔다. 갓 나온 고소한 빵 냄새에 기분이 좋아진다. 담백한 빵에 잼을 발라 먹기를 좋아하는 아이를 위해 모닝빵과 식빵을 샀다. 가게 내 카페에서 아이와 함께 음료를 시켜 빵과 함께 먹었다. 맛있었다. 주말 아침 식사로 훌륭한 한 끼였다.

‖어느 짧은 인생의 서사
/신혜수

내 인생은 길어봤자 12시간 남짓이었다. 아무도 깨지 않은 새벽 덜컹 문을 열고 제빵사가 들어왔다.

하얀 가운을 걸치고 검정 앞치마를 허리에 두른 그는 커다란 기계 안에 강력분과 설탕, 소금 그리고 마가린, 거기다가 달걀에 이스트까지 넣고 물을 넣었다.

그러더니 앞으로 뒤로 정신 없이 기계를 돌려댔다. 내 함성을 들었을까? 기계가 갑자기 멈췄다. 그런데 같이 있던 이스트 친구가 있는 힘껏 내 몸을 쑤셔댄다. 성이 나서인지 내 몸은 크게 부풀었다. 태어난다는 것이 이렇게 힘들다면 그만두면 안 될까?

커다란 제빵사의 손이 나를 바닥 위에서 동글동글 춤추게 한다. 동그란 내 몸을 보니 지나간 아픔을 잊게 된다. 마음은 참 간사한 존재이다.

기쁨도 잠시, 제빵사는 갑자기 내 가슴팍을 벌리더니 시꺼먼 통팥이라는 놈을 집어넣고는 뜨거운 오븐 안으로 넣었다.

'난 왜 이렇게 고생하며 태어나고 있을까?'

오븐 안에 같이 있던 친구들은 조금만 참고 기다리면 밝은 미래가 올 것이라며 눈을 질끈 감았다. 나도 질끈 감았다.

선텐을 한 것처럼 얼굴이 연한 갈색이 되니 우리는 세상 밖으로 나왔다. 친구들과 나는 그제야 우리를 단팥빵이라고 부르는 걸 알게 되었다.

우리 옆에는 알록달록한 피자빵 친구도 있었고 저기 멀리에는 멀대처럼 생긴 바케트라는 친구도 있다.

투명한 유리 선반에는 머리에 꽃을 장식한 케익 친구도 있고 하얀 눈처럼 생긴 것을 둘러쓴 친구와 동그랗게 말린, 안쪽에 하얀 크림을 꼬옥 끌어안은 친구까지

누가 더 예쁜지 서로들 자랑하느라 바쁘다.

얼굴은 탄 것같이 갈색이고 몸에 장식이라고는 하나도 없는 우리는 그들이 부러웠다. 우리끼리 얘기를 나누기 시작했다.
"얘들아, 우린 여기 왜 있을까?"
"글쎄, 그 고생을 했으니, 뭔가 행복한 일들이 기다리고 있지 않을까?"

창 너머로 빨간 차가 가게 앞에 멈춰 섰다. 긴 머리에 예쁜 원피스를 입은 그녀는 여기저기를 둘러보더니 우리 앞에 멈춰 섰다.

친구들과 나는 그녀가 우리를 멋진 세상으로 데리고 갈 것이라고 확신했다. 그래서 서로 선택받으려고 몸을 요리조리 비틀며 예쁜 짓을 했더랬다.

나도 눈을 반짝이며 그녀의 손이 내 머리 위를 스쳐 갈 때 살짝 휘파람까지 불었는데 그녀는 내 옆의 친구를 데리고 갔다. 그녀는 나를 선택하지 않았다.

그녀는 또각거리며 카운터로 가더니 향기로운 커피까지 시키고는 창가 옆자리에 앉아 책을 펼쳤다.

스며 들어오는 햇살 속에 있는 그녀는 마치 천사처럼 예뻤다. 커피를 가지려고 일어날 때 살짝 펄럭이던 치맛자락은 마음을 울렁거리게 할 정도였다.

드디어 그녀가 친구를 집어 들었다. 저리도 아름다운 그녀와 친구가 되다니 그녀와 무슨 얘기를 나누고 있을까? 나와 친구들은 숨죽이며 그녀와 친구의 대화를 들으려 애썼다.

그런데 새벽부터 고생하면서도 미래를 꿈꾸며 웃었던 내 친구의 몸둥아리는 그녀의 입안으로 사라졌다. 그녀는 웃고 있다. 아름다운 그녀는 그 순간 악녀로 변했다.

우리의 수고를 알지도 못하면서 그녀는 수화기 너머 친구에게 맛있는 단팥빵을 먹었다며 자랑질까지 해댔다.

그때부터 나와 친구들은 말이 없어졌다. 멋진 인생이 있을 거라고 믿었던 희망이 눈앞에서 사라지는 순간 우리는 앞으로 올 끔찍한 일들을 믿고 싶지 않았다.

엄마의 손을 잡고 온 꼬맹이가 나를 잡으려 손을 내밀자, 눈을 크게 뜨고 노려봤다. 꼬맹이는 알아챘는지 옆에 있는 친구를 데리고 갔다. 그 꼬맹이는 피자빵 친구까지 데리고 갔다.

등이 굽은 할머니는 우리 얼굴과 같은 손으로 내 친구들을 다섯이나 데리고 갔다. 나는 제발 나를 데리고 가지 않게 해달라고 기도까지 했다.

거리에 가로등이 켜지기 시작하자 가게 안 진열대에는 나를 포함한 몇 안 되는 친구들이 남아있었다. 유리 진열대 안에는 친구들이 아직도 많이 남아있었다.

왜 그들은 사람들의 사랑스러운 시선을 받으면서도 사람들에게 먹히지도 않는지 불공평하다는 생각이 들었다. 분에 겨워 눈물이 나왔다.

가게 문이 닫혔다. 나는 힘겹게 살아낸 내 인생에 박수가 터져 나왔다. 나는 죽지 않았다. 친구들은 먼저 갔지만 난 살아있다.

제빵사가 가게를 정리하더니 내 앞에 우뚝 선다. 칭찬해 주려나? 나는 그의 칭찬과 격려를 기다렸다. 하지만 그는 입가에 씨익하고 웃음을 보이더니 나를 집어 날름 자기 입으로 가지고 갔다. 아무리 피하려고 애를 썼지만, 나도 친구들처럼 12시간 남짓 세상에 나왔다가 결국 죽었다.

나는 너무나 분하고 원통했다. 이렇게 살 거면 태어나지도 말았어야지! 왜 나를 만들었냐고 나 너무 힘들었다고 펄쩍펄쩍 뛰며 소리를 질러댔다.

그런데 그 순간 내 앞에 스치는 영상들. 맛있다며 웃어줬던 그녀, 엄마를 조르며 사달라던 그 아이의 초롱초롱한 눈빛, 등이 굽은 할머니 손의 따스함까지. 나는 누군가에게 행복을 주는 삶을 살았구나! 라는 사실을 깨달았다.

의미 없는 삶이 아니었다. 짧은 생은 중요하지 않았다. 나는 존재 자체로 의미가 있었다. 그제야 작은 목소리로 말하던 제빵사의 말을 알아챘다. "오늘 만든 단팥빵은 참 성공적이었어."

『나의 바람
/조은자

그 순간 나만 아니길 바라며 기도 한다. 나만 아니길. 집게를 집어 든 눈길을 피해 지나쳐 가라고 소리친다. 옆에 있던 소중한 친구들이 모두 떠나고 나만 덩그러니 남게 된다.

이젠 혼자다. 나의 바람이 이루어진 걸까? 아니다. 그의 마지막 눈을 마주친 순간 두려움이 밀려온다. 이제 내 차례이다.
'꿀꺽! '
두려움도 잠시뿐이다. 내 일생의 소임을 다 마친 순간이다. 나는 날개를 달고 행복한 웃음만 짓는다.

‖빵의 빵빵하게 빵빵한 하루
/송정희

나는 매일 새롭게 만들어지는 빵이랍니다. 물론 나를 만들어 주는 주인님은 매일 새로운 이름도 지어 준답니다. 나는 이름이 여러 개라 매일 어떤 이름으로 탄생될지 많이 기대하고 있답니다.

오늘 아침도 빵 굽는 냄새에 마냥 황홀하기만 했죠. 어떤 빵으로 새로이 태어날까요? 주인님은 달걀을 열 개도 넘게 깨뜨려 풀었어요. 하얀 우유와 뽀얀 속살을 떠올리는 밀가루, 달콤한 설탕 그리고 한 꼬집의 소금, 작은 찻잔 숟가락으로 이스트를 조금 넣고 반죽해서 따뜻하게 한쪽에 놓아두지요.

가슴이 두근두근 뛰어요. 시간이 되면 부풀어 오른 반

죽을 동그란 통에 가득히 부어 미리 달아오르게 한 오
븐에 잘 구워줍니다.

오늘의 제 이름은 쿠키 카스텔라라고 해요. 겉은 쿠키
처럼 조금 바삭하고 속은 부드럽고 달싹하지요. 빵을
반으로 가르면 달걀노른자와 흰자가 골고루 섞여 몽글
몽글한 입자로 만들어진 탱탱한 빵 속살이 보여요. 나
쿠키 카스텔라는 하얀 우유랑 먹음 혀끝에 달달댐이
목구멍으로 부드럽게 넘어가면서 행복의 강물을 건넌
답니다.

오늘 쿠키 카스텔라를 선택해 먹어준 핑크 리본 언니
의 그 행복한 얼굴이 나는 잊혀 지지 않아요. 핑크 리
본 언니에게 빵빵하게 빵빵한 행복이 되었답니다.

잠시 긴 어둠을 부지런히 걸어 와 보니 나는 다시 주
인님 집에 와 있었어요. 오늘 나에게 주어진 이름은 크
림빵으로 불립니다. 내 속살인 크림은 생크림과 설탕
버터를 휘휘 젓고 또 저어 부드럽지만 단단하게 만들
어 윗 살과 아래 살 사이에 빽빽이 넣어 두툼히 펴 발
라 주어야 진정 맛있는 크림빵이 된답니다.

크림 빵은 오늘도 자신을 맞아줄 사람을 기다립니다.
오늘은 주인님 가게 앞을 쓸고 치우시는 맘씨 착한 아

저씨가 나를 데려가 주셨어요. 아저씨는 오늘 일이 많아 한 끼도 못 드셨대요. 그래서 크림빵을 허겁지겁 드셨어요. 그리고 달싹하고 향 좋은 카페라테 커피도 시원하게 쭉 들이키시고는 컥 하고 트림을 내셨어요. 크림빵은 아저씨가 급히 먹고 체하실까? 조마조마했거든요. 그런데 아저씨는 "아 배고픈데 맛있게 잘 먹었네" 하며 환히 웃으셨죠. 아 오늘도 크림빵이 되어 역시 빵빵하게 빵빵한 하루를 보냈답니다.

이렇게 나는 매일 새로운 이름을 가진 욕심 없는 빵이랍니다. 아니요. 나는 사람들 마음이 많이 신경 쓰이는 욕심쟁이 빵이랍니다. 사람들이 웃으며 행복하게 나를 선택하면 빵빵하게도 행복해요. 사람들이 해주는 말 한마디에 항상 마음을 담아 귀 기울여 들으려고 해요. 사람들이 행복했으면 좋겠어요. 슬퍼하지 않았으면 좋겠어요.

그런대요. 사람은 행복해도 행복하다고 생각하지 못할 때가 많다고 해요. 그래서 사람들은 자꾸 슬프다고 생각해요. 내가 있어 배고픔이 없었으면 좋겠어요. 그리고 나와 사랑을 가득 나눴으면 좋겠어요. 나는 사람들이 행복해하고 맛있게 먹어주면 정말 행복하거든요.

나는 매일 매일이 새로운 생일이에요. 그래서 행복해

요. 내가 매일 생일이라서 행복한 것처럼 사람들도 매일 생일이면 좋겠어요. 생일에는 누구나 행복하고 즐거운 날이니까요. 그리고 매일 어떤 일들이 생길까 하는 호기심이 생겨요. 그런데 하나도 무섭지 않아요. 나는 최선을 다해서 하루를 살면 빵빵하니까요. 사람들도 지치지 않고 겁내지 않고 열심히 살았으면 좋겠어요. 그런 사람들이 잠시 쉴 때 나를 선택해 준다면 정말 행복하답니다.

‖내가 빵이라면, 나의 인생은….
/이영미

나는 아무 곳에나 존재하지는 않는다. 특별한 곳에 가면 나를 만날 수 있다. 너무 많은 사람이 나와 같은 친구들을 만들어서 다 비슷해 보이지만 나는 자부심이 있다.

우리가 인간의 몸에 좋지 않다고 한다. 하지만 인간들이 갈수록 치열해지고 마음 하나 의지할 곳 없을 때 나를 벗 삼아 잠시나마 쉬어갈 수 있다면 우리에게 그만한 위안이 또 있을까? 향긋한 커피 한 잔을 곁들인다면 다시 일어설 힘을 얻을 것이다.

건강에 좋지 않다는 문제를 개선하기 위해 뜻이 있는 분들이 우리를 건강하게 만들기 위한 노력을 하고 있다. 빠른 것이 다 좋은 것은 아니기에 나는 남들보다 오랜 시간 명상하며 때를 기다린다.

달콤한 말로 나를 포장하는 것이 아닌 인생을 바쳐 만들어진 열매들로 나를 채운다. 그래야만 순간이 아닌 오랫동안 기억에 남는 추억을 만들어 줄 수 있기 때문이다. 그리고 그들의 마음뿐만이 아니라 건강에도 도움을 줄 수 있기에.

되도록 오래오래 곱씹어서 나를 느꼈으면 좋겠다. 내가 어떻게 태어나 어떤 마음으로 여기까지 왔는지, 그 여정이 얼마나 행복했는지, 그래서 그로 인해 그대도 행복했으면 한다. 할 수만 있다면 나는 언제 어디서고 다시 태어나 그대를 알아보고 그 곁으로 가고 싶다.

언젠가는 잎이 떨어지고 눈이 쌓인 작은 시골 마을에서 그대를 기다릴 것이다. 오랜 여행으로 지친 몸과 마음을 쉬어갈 곳을 찾아온 그대에게 기꺼이 나를 내어주며 짧은 시간이나마 안식을 주고 싶다. 그대는 창밖의 흰 눈을 바라보며 커피잔의 온기에 몸을 녹이며 추억을 회상하거나 새로운 글감을 찾고 있을지도 모르겠다.

우리는 처음 만났을 때만 해도 어색했다. 그 설익은 어색함은 함께할수록 조금씩 자기만의 색을 드러냈다. 옷을 벗어 속살을 보여주듯 서로에게 마음의 빗장을 걸어내고 있었다. 그렇게 스며들듯 서로 물들어 갔다.

서로 알지 못한 채 함께 시작한 시간은 무의미하지 않았다. 글쓰기가 어렵다며, 책 출간은 엄두도 낼 수 없다고 말하던 모습과는 달랐다. 우리의 글은 꾸미지 않아 솔직했고, 서툴러서 감동이었다. 각자 깊은 서랍 속 숨겨두었던 이야기들을 하나하나 끄집어 쏟아냈다.

차시마다 아픔을 토해냈고, 누군가는 시린 상처를 보여주며 눈물을 훔쳤다. 누구나 하나쯤의 짐을 이고 살아간다는 말처럼 우리들이 짊어진 짐을 여과 없이 꺼내놓으며 서로 보듬어 주었다. 그러면서 매시간 잠시 쉴 수 있는 힐링 시간이 되어주기도 했다.

익숙함은 편안함에서 속내를 드러내듯 처음 꽃들을 바

라볼 때면 예쁘다며 탄성을 자아내지만, 자세히 들여다 보다 보면 그들도 수많은 이야기를 속삭이고 있음을 알아차릴 수 있다.

12인 꽃망울의 이야기를 <봄꽃처럼>에 담아냈다. 여러분도 한편씩 감상하며 서로 보듬어 주는 따스한 손길에 머물 수 있기를.

작가. 고영희

강정희
김대선
김민송
김정희
김현주
송정희